中国語"知"のアーカイヴズ③

中国語と私

学び、教え、究める、中国語に生きる

輿水 優 著

氷野 善寛
紅粉 芳恵 編

まえがき

『中国語〝知〟のアーカイヴズ』シリーズは、中国に関して偏った情報しか得ることができず、「竹のカーテン」があると言われていた一九五〇～七〇年代に中国語を学ばれた先生方から中国語との関わりについてお話を伺い記録して残そうという企画です。先生方が「なぜ中国語を選び、どう学び、いかに教えたか」を知ることは、中国語を学ぶ者、教える者の参考になるだけではなく、日本の中国語教育の歴史を後世に伝えるという役割の一端を担うことができると考えます。

今回は二〇一六年九月四日と二〇一九年七月二十九日の二回に分け、輿水優先生にインタビューをさせていただき、先生ご自身の中国語学習と教学経験を中心にお話いただきました。

編者

目次

輿水優（こしみず まさる）略歴

一九三五年生、一九五八年東京外国語大学卒業、一九六〇年東京大学文学部中国文学科卒業。一九六〇年四月東京外国語大学着任、以後一九九七年に退官するまでの三十七年間、東京外国語大学で中国語教育に当たる。退官後は、日本大学文理学部教授。その間、一九七五～一九八九年ＮＨＫテレビ・ラジオ中国語講座講師、一九九三～二〇〇〇年国語審議会委員、一九九三～二〇〇九年外務省研修所中国語主任講師を兼務。学界では、日本中国語学会理事長、国際中国語教育学会(世界漢語教学学会)副会長、中国語教育学会会長等を歴任。現在、東京外国語大学名誉教授。

第一部

学び、教え、究める

2000年代初頭、日本大学文理学部の授業風景。

はじめに

――先生はこれまでにも、日本の中国語教育の状況について、またご自身の中国語学習や教学について、部分的にお話しされていますが、今回改めて一連のお話をお聞かせいただければと思います。

輿水　教職を離れたのは一年半ほど前（二〇一五年三月）です。中国語教員としては、その少し前に教室を離れました。しばらく前に、主として中国語の教職に就いている、東京外語大の出身者の集まりがあって、私がこれからやりたいことを話したのですが、その一つが、一九五四年以来の日本の中国語教育と学習の状況についてまとめる仕事です。

私は一九五四年に中国語の勉強を始めました。私が外語大に入った年です。それ以前のことについてはわかりませんが、それ以降は自分の体験だから、よくわかります。私は物を捨てない主義なので、使用したテキストだけでなく、ビラ一枚でも取ってあります。いまとなっては早く処分したいのですが、そのためには早く本にまとめなければなりません。パソコンもあまり熟達していないので、なかなか書けないでいます。しかし、今回のように、聞く人がいてくれれば、いろいろ話が出て来ると思います。
そんなことで、私の中国語教学史をまとめる仕事は一向に進んでいませんが、部分的には、二〇〇五年に倉石賞授賞式の挨拶（『日中学院報』三六八号）で話をしたり、これまでインタビューを受けたりしたこともあります。たとえば『汉语与汉语教学研究』第二号（二〇一一年、東方書店）には櫻美林大学孔子学院による、私への聞き書きが載っています。北京外国語大学が出している『国外汉语教学动态』二〇〇四年第四期にも、いま東洋大学にいる続三義さんがインタビューしてくれたものがあります。続さんが北京外国語大学から東京外語大に留学で来ている時に、私は教えているんです。中国の新聞で、たとえば『光明日报』の取材で掲載された記事（一九九〇年十二月十日）のような、断片的な資料もあります。

大学入試

――先生が東京外国語大学で中国語を学んだきっかけをお聞かせください。

輿水　前置きが長くなりましたが、私は第一志望で外語大に入るつもりはなかったんです。そのころは国立大学が一期校と二期校[1]に分かれていて、国立大学を二校受けるチャンスがあったんです。だから一期校でどこかを受け、二期校で別のどこかを受けるんです。ただ、国立大学は進学適性検査、略称「進適」という、アメリカの占領下で始まった、学科と関係のない、一種の知能検査みたいな統一テストを受けないといけない。この「進適」とは、たとえば、箱がいっぱい積んである立方体のイラストが示され、全部で何箱あるのかを、短時間で答える、というような試験です。もちろん国語力を問うような問題もありました。要するに、大学進学に適しているかどうかを測る試験で、私は一九五四年の大学入学だけれども、「進適」は翌年の一九五五年から廃止されました。受験者の少ない大学は学科試験だけですが、志願者の多い大学は「進適」の得点で受験者の足切りということをしました。定員の三倍までしか学科試験を受けさせないんです。

　私は、進学適性検査は得意だったんだけど、高校三年の時に受けた「進適」の点数がひどく悪くて、目指す大学は足切りで受けられなかった。二期校は外語大を志願しましたが、やはり足切りで、この年は入試に参加できなかった。いまとちがって、マークシートではないから、手作業の採点だし、なにか点数に誤りがあるのでは、と「進適」をうらみました。「進適」の思い出ですが、そのころ出版社の研究社が『高校英語研究』[2]という雑誌を出していました。いま出ていても高校生が読むかな、学術的というか……。

――学生が読む雑誌ですか。

輿水　受験生が読む雑誌です。

私は、次の一九五四年度の「進適」の直前に、研究社のその雑誌が主催する模擬試験っていうのを、前の年みたいになってはいけないから、受けたんです。そうしたら、成績順位がベストテンに入った。その時に成績表の同じところに、大江健三郎って名前があったんです。同名異人ではないと思う。成績表の載った雑誌を取っておいたので、後年、大江健三郎も当時こんな模擬試験を受けていたんだなと思いました。

1　一期校と二期校…一九四九年から一九七八年まで実施されていた日本の国立大学入試制度の区分の一つ。当時、大学ごとに行われた入学試験は、文部省により一期校と二期校の二つの区分に分けられていた。入試日程は一期校が三月上旬、二期校が三月下旬に組まれていた。これは大学進学者が首都圏、有名校へ集中することを防ぎ、大学進学者の間口を広げることを意図していた。しかし、旧帝国大学が一期校に集中し、かつ組まれた日程との関係もあって必然的に一期校が第一志望、二期校は滑り止めという様相になり、これにより期別の大学群格差が序列化されるようになった。その弊害を是正するために大学共通第一次学力試験導入後一期校、二期校制度を廃止。国公立大学は原則一校受験とされた。

2　『高校英語研究』…前身は一九一七年創刊の『受験と学生』。一九九七年廃刊。

私は一九五四年度の入試では、「進適」の足切りを受けずに、二番手として外語大も受験しました。一期校、二期校と、せっかく二回の受験チャンスがあるから。外国語はやろうと思っていたので、一期校は英文科志望で文系を目指し、二期校の外語大に願書出す時には志望する専攻をどうしようかと思ったんです。

戦時の生活

―― 一九五四年といえば、まだ敗戦（一九四五年）の混乱をひきずっている時代です。先生は戦中から戦後にかけて、小、中、高の教育を受けた世代ですね。

輿水 ちょっと中国語と関係のない話になりますが、私は東京生まれの東京育ち、戦災で仕方なく、終戦直前に東京を出て、戻るまでの七年間を除いて、ずっと東京です。太平洋戦争の末期、一九四五年の三月十日に初めての東京大空襲があって、私は当時、杉並区に住んでいましたが、夜中に空襲警報で防空壕に入る身支度をすると、東の空が一面真っ赤に燃えていた。夜が明けると、私の通っていた学校が避難民の収容所になっていて、着衣がぼろぼろの人たちが学校にぞろぞろ歩いて来るっていう状況でした。学校からは新学年になっても連絡が無かった。避難民の収容所になっているからね。

前年の一九四四年に、東京は、「疎開」と言うんですが、人々が地方に移されたんです。私は八月末に学童疎開で長野県南佐久郡（現在は佐久市）に学校ごと移りました。学童疎開は三年生以上で、集団疎開とも言いました。その後、兵隊に取られていた父親が病気除隊となり帰って来たものですから、どこか安全なところに一家で移るということになり、半年後に東京に呼び戻された。長野から戻って来たら、五月二十五日の東京の山の手一帯の大空襲で家が焼けちゃったんです。それで行き場が無くなってしまって。というのは、母親は東京の人間だし、父親は山梨県の出身だけれども小学生の時に一家で都会に出てしまっていて、田舎というものがない。田舎のある人は親類などを頼って、縁故疎開っていうのがあった。学童疎開に参加しない人は縁故疎開でしたが、東京に残っている人もいました。学校が避難民の収容所になるまでは、疎開をしなかった残留組みたいなのがあって、私もその教室に加わった。残留組は学校で毎日、避難訓練ばかりで、防空壕に入る訓練をして、昼前に給食の蒸しパンをもらって家に帰る、そういう授業しかなかったんです。

一言、過激な言い方を加えると、私は小学校に行ってないんです。私は一九四一年春に小学校に入るんですが、その年に小学校は国民学校[3]と名称が変わったんです。私が小学校を卒業した一九四七年に、六年間続いた国民学校という制度が廃止され小学校に戻った。だから私の学年だけが、入学は「国民学校」、卒業も「国民学校」で、「小学校」は行ってないんです。私はよく冗談に、「小学校」には行ってませんって言うんです。私たちの学年は、一九四七年に新制度の中学が生まれて、新制中学一期生、そして三年後、新制高校一期生と、ちょうど全部、学制の変わり目ですね。新しい学制で、男女共学が始まりました。小学校の時は男だけ、女だけのクラス、中学に入ったら男女一緒、高校に入ったら高校も初めて男女一緒。だから高校で一年上の、旧制中学から移行した先輩たちはみんな羨ましがっていました。

横須賀の思い出

輿水　私の家は縁故疎開をするところがないので、つてを頼って最初神奈川県の厚木近くの農村に、東京を焼け出されてすぐですから、五月の末に移ったんです。いまの東名高速の海老名SAに近い農家に転がり込んで、納戸に仮住まい。そこで終戦を迎えました。父親の実家が横須賀にあったものですから、一年余り経って、横須賀に移ることになりました。厚木はマッカーサーが占領軍のトップとして降り立った所です。いまもアメリカ軍の飛行場があります。当時、厚木の街ではジープに乗ったアメリカ兵に「ギブ・ミー・チョコレート」って日本語みたいな英語で言うと、チョコレートを投げてくれると聞きました。横須賀は、当時も現在も極東最大のアメリカ海軍の基地です。そういうことで、戦争直後は外国語に近いところにいたというわけですね。

横須賀には六年生の夏に移りましたが、私と同じような移住者の子どもは土地の言葉が使えず、いじめに会うことがありました。東京の子どもの話す言葉でしゃべると、「おんな、おんな」と言われ、からかわれる。女言葉というわけではなく、いわゆる標準語を話す子どもを、仲間外れにするんです。私はあまりいじめられなかったけれど、言葉というものに意識が向くきっかけになりました。そんなことから、中学のころかな、標準語を使ってアナウンサーになってみたい、と思っていた時期がありました。

中学校三年間は横須賀、そして高等学校は神奈川県立横須賀高校に入学しました。クラブ活

3　国民学校…日中開戦後の社会情勢にともない、一九四一年四月に国民学校令を施行して、それまでの小学校を国民学校と改めた。一九四七年四月、学制改革（小学校は六年、中学校は三年の六三制実施）により、国民学校は廃止され、新制度の小中学校が誕生した。

動ではＥＳＳ、つまりEnglish Speaking Societyに入れてもらった。はじめ上級生が入部テストをして、落っこちたんですが、学校側がテストを認めなかったんで入れた。ＥＳＳは、高校生だけどみんな英語のレベルが高い。私の通った中学は横須賀でも田舎のほうだったし、新制度発足直後の中学では教科書さえも揃わなかった。英語は『Jack&Betty』の前の『Let's Learn English』っていう国定教科書。それがね、夏近くなってクラスに十冊足らず来ただけだった。教科書が来るまでの数か月、英語の代わりにローマ字を学んだ。私は教科書全部を書き写しました。他の教科も同じようなものです。各クラスに国語は何冊とか、数学は何冊とか、そういう時代です。机も椅子も揃わなくて。新しい中学がたくさん生まれたんですから。いっぺんに小学校と同じに作らなきゃいけないわけでしょ。横須賀あたりは旧日本軍の施設が使えるから、建物だけはあったんです。軍の施設を使った学校には、机や椅子はないんです。運び出せるものは薪にしちゃったらしい。私の家では、燃料不足のところ、軍関係の学校の備品だった部厚い本、辞書などをもらって来て、引きはがして、風呂を焚いた。占領軍がやって来て、図書館の戦時中の本なんかはチェックされるから、捨てたんです。

そういう、物質的には何もない時代でしたが、英語は必要で使うでしょ、特に横須賀では。いわば英語の世界。だから高校生でも上手な者が多い。私は、英語は好きで、横須賀でずいぶんやったけど、とても英語じゃかなわないと思った。私は東京で焼け出され、農村で仮住まい、横須賀に行っても田舎の中学だったから。高校に入ったら、逗子、葉山のような、安定した住宅地にずっと暮らしている人たちの子弟もいる。かれらは戦災に遭っていないから、教育環境がよい。みんな勉強がよくできる。こちらも中学生の後半ぐらいからだけど、英語が好きだったから、実は横浜のＹＭＣＡ英語学校というところに通った。いま考えると、横須賀にも英語を教えるところがあるのに、なぜ遠方まで行ったのか。私は東京を離れてから、早く東京に戻りたいと思っていた。ところが東京の家は焼けちゃった。しかもそれは借家だった。それに、戦後しばらくは東京には転入が出来なかった。東京の人口を抑制するために、東京にいた人でも東京に戻れない、という時期があったんです。そんなことで、ちょっとでも東京に近いほうに行きたいっていう気持ちだったんですね。その東京には、高校三年になる時、横須賀を離れて杉並区に移り、都立豊多摩高校に転入学しました。

中学生のころ、アメリカ海軍の基地で通訳をしている人が、その人の自宅で英語を教えてくれたけど、やはり、ちゃんとした学校に行きたいと思った。横須賀で、高校に入ったころまで、横浜のＹＭＣＡに電車で通ってね、週に何度も行きました。そのころ横須賀線は、いまのグリーン車に当たる車両が無く、車体に白線の帯を太く引いた、占領軍専用の車両を連結していたんです。正式の呼び名は連合軍だけど、占領軍の将兵や家族が遊びに出かけたりするので、その人たち専用の特別車両があったんです。横浜や横須賀のホームにはアメリカ兵が大勢いました。話しかけるわけじゃないけど、やっぱり雰囲気が外国に近かった。私は高校のクラブ活動で、アメリカ軍の基地の中の人たちと交流する機会もありました。だから、あれこれ英語の世界が刷り込まれたんだけど、横須賀では英語の上手な先輩、友人を、いつも羨ましく思っていました。

中国語へ

輿水　それで外語大に願書出す時にね、高校で英語のできる人たちを知っているから、とにかく英語ではかなわない、そうかといってドイツ、フランスという考えは無く、アジアの言語にしようと思った。二期校だから、いわば第二志望を選ぶような意識があったと思う。首都圏では、文科系の進学希望者は、二期校は外語大志望が多かったんです。その一つの理由は、入試科目に数学が無かったことです。私も数学は大の苦手でした。外国語は他の入試科目の三倍の配点でした。しかし、アジアの言語といっても、中国語には思い当たらず、インドあたりを漠然と考えていたけど、願書を出しに行くと、アジア系の学科は、中国を除いて、おしなべて倍率が低かった。なんか拍子抜けしちゃって、志望者のあまり多くないところは受けたくないと思ったんですね。

高校二、三年のころから、翻訳ばかりだけど、中国関連の本はずいぶん読んだんですよ。パール・バック[4]の『大地』だとか。老舎[5]の『四世同堂』[6]の翻訳も、そのころぼつぼつ、出たんです。高校二年ぐらいに読んだ『蝦球（シアチウ）物語』[7]も印象に残っている。翻訳の書名で、原本

4　パール・バック…（一八九二～一九七三）アメリカの作家。宣教師の両親とともに幼くして中国に渡り、少女時代を過ごす。故国で高等教育を受け、再び中国に赴き、一九三二年に中国の貧しい農民の苦難、洪水、飢餓を描く三部作『大地』を発表。ノーベル文学賞受賞。

5　老舎…（一八九九～一九六六）中国の小説家、劇作家。北京で出生。満州族。青年期にロンドンで創作活動を開始し、一九二六年に処女作『老張的哲学』を発表。北京を愛し、北京語を駆使した作品多数。人力車夫が主人公の『駱駝祥子』は最も知られている。文化大革命時に自死。

6　『四世同堂』…老舎の長編三部作。一九四四年に第一部を発表、第三部の発表は一九五〇年になるほどの大作。日本占領下の北京（当時は北平）で暮らす四世代同居の一家を中心に庶民の悲惨な生活と苦難、民族意識に燃え抵抗に立ち上がる様を克明に描く。

7　『蝦球物語』…黄谷柳が一九四七年から香港の新聞『華商報』に連載した長編三部作の小説。母子家庭の貧しい少年シアチウは家出して浮浪児となり、波止場の密輸団に使われる。スリ仲間でアメリカ帰りの老人から大金を盗むが、その老人は実の父であった。

は黄谷柳[8]の『虾球传』。いろいろ翻訳書が出て来てね、中国はわりあい身近に感じていた。魯迅までは読まなかったけれど。『四世同堂』は、日本の占領下で北京の人たちがどんな暮らしを強いられたか、克明に書いているんで、びっくりした覚えがある。実は、東方書店の『東方』二百号記念誌に、自分が影響を受けたと思う本を三冊取り上げる企画があって、その一冊に『四世同堂』を選びました。私が中国語を学び始めたころに、上中下三巻の、河出書房版の訳本が出て通読し、中国語を学ぶっていうことは、中国人とどう付き合うのか、ということであると、一種の覚悟ができた。日本は中国人にこういうふうに思われているんだって、感じたんです。中国語の学び始めに、『四世同堂』の影響を受けたって思っています。

――外語大で中国語のクラスはどんな雰囲気だったのでしょうか。

輿水　外語大に入ってみたら、中国語のクラスには三種類の人間がいました。いわゆる浪人、過卒者が大半で、二期校だから一期校の落ちこぼれが多いけれど、その中で中国語に結びつく特段の理由もなく、私のように受験の流れで入った、まあノンポリみたいなね、それが一種類。一番多かったのは、私の年代だと、戦争が終わった時、小学校五年生前後だから、それまで中国にいたとか、中国と縁があった人。とても多かった。なかには中国で中国語を学んだ、あるいは覚えたという人もいるんです。一人年齢がかなり上の人がいてね、中国からの帰国者で、本人は八路軍[9]にいたって言うんです。中国で医科大学の予科かな、その学生だったらしい。戦争が終わった当時、中国は日本人で使える人は残しておいたんです、留用って言うんです。かれは医学の心得があって八路軍に編入されたのかな、林彪[10]について揚子江の南まで行ったなんて威張っていました。その人がね、外語大一年の時の外語祭に、秧歌踊り[11]を指導してくれたんです。秧歌踊りって、中国の田植え歌の踊りだけど、それを外語祭でやろうって。

8　黄谷柳…(一九〇八～一九七七)中国の作家。ベトナムで出生。華僑の第三代。十八歳から香港でさまざまな職業に就く。日本の香港占領に対する抗日活動に従事、のち新聞記者。抗日戦争に従軍、戯曲や小説の創作活動を始め、一九四七年に『蝦球伝』を新聞連載で発表した。

9　八路軍…日中戦争時に、主に華北方面で活動した中国共産党の軍隊(紅軍)。中国共産党の軍隊の通称、略称としても用いる。日中戦争後、日本兵を含む残留日本人を八路軍に編入し、医師など技術を有する者を徴用した。

10　林彪…(一九〇七～一九七一)中国の軍人、政治家。文化大革命で一時は毛沢東の後継者とされたが失脚し、亡命の途上で事故死した。抗日戦争では八路軍を率いて戦い、戦後の国共内戦では東北野戦軍、第四野戦軍などの司令官として活躍した。

11　秧歌踊り…中国の民間舞踊。秧歌は田植え歌。田植え踊りが起源で、華北の農村の娯楽としても知られる。歌に合わせて練り歩いたり、あるいは広場で、リズミカルに腰をひねりながら、前進後退を繰り返すので〝扭秧歌〟(ヤンコーを踊る)ともいう。〝扭〟niǔは「体をくねらせる」意。

1956 年夏、外語大 3 年次に同級生 3 人で北海道へ貧乏旅行。阿寒湖のホテルで。

中国語クラスの入学者は四十人で、女性は一人しかいない。その時分、中国語は例年二、三人しか女性は入らない。男女半々いないと踊れないって言うんで、半数は女装しました。衣装は撮影所なんかで借りて来て、豊島公会堂で歌と踊りを披露した。大学に講堂がないから、学外で公演したんです。中国の革命歌もいろいろ覚えました。子どものころ中国にいた人は、多少は中国語を知っている。そのかわり内地引き揚げなどで、戦後は苦労しているんです。

あと一種類は、政治運動に興味があった人。一九五〇年ぐらいだと思いますが、レッドパージ、共産党や共産党シンパの追放を占領下でやったんですね、朝鮮戦争が起こったころです。外語の卒業生で、そのころ「お前ロシア語やってたから共産党だろう」って会社をクビになった人を知っています。一方、一九四九年に中華人民共和国が誕生した。私が中学三年生の時でした。前年の生徒会の選挙演説で、毛沢東の人間革命なんて言っている先輩がいた。意識の高いのがいるなって思ったけど、レッドパージの次の時代は、中国語なり中国に関心を持った人が政治運動に手をかけていたんです。クラスには、日中友好協会の巡回映写会で、画面の説明をする弁士みたいな活動をする人もいました。世間では、山村工作隊[12]なんていう政治活動もあったころです。

映画を見たいから、私もついて見に行ったことがある。まあ山の中は行かなかったけど。そういう仕事をしている人もいたり、みんな、私よりずっと大人でした。親しくなったクラスメートで、陸軍幼年学校の一年生に在学中、戦争が終わったという人もいました。小学校を出て、十三歳から入れる軍人養成の学校です。二年浪人も結構いたし、ノンポリやってきた私なんかには、大人の世界だった。戦争で、みんな苦労している。

苦労と言えば、戦後は食糧難で、どこの家庭でも主食が不足し、生活に困った。私なんか、中学生のころ、毎週日曜日に母親と一緒、あるいは単身で、農村に食糧の買い出しに行きました。買い出しに行っても農民は現金は受け取らない、インフレだったから。家から着物など持って行って物々交換。毎週日曜日には、前に仮住まいしていた農村をたずね歩いて、サツマイモ

12　山村工作隊…一九五〇年代後半に、日本共産党臨時中央指導部が、武装闘争を志向し、山村地帯に遊撃隊を作るために行った非公然組織活動。毛沢東の中国共産党にならったもの。

などを買って来る。米なんて買えなかった。子どもでも暮らしに追われる、そういう生活でね。でも、それまで中国語を学ぶという必然性は無かったけれど、どこか片隅には中国っていうのがあったのかも知れないね。小学生のころは、中国と戦争しているんだから、戦況や、現地の事情が、子どもの耳目にも入ったし。高校に入ってからは、小説が主だけど、中国ものの翻訳書を読んでいたとかね。

——当時は中国語を耳にするような環境はありましたか。

輿水 いや、ありませんね。私が小学生のころは、中国を馬鹿にする言葉ばかり。シナポコペンとか言ってね。変な、中国語に似せた言葉の真似とか、はやし言葉みたいのばかり、いろいろあったんです。ポコペンは、大学に入ってから〝不够本〟bùgòuběn の訛だってわかった。

——それはどういった時に使うんですか。

輿水 子どもたちがふざけて言い合う、はやし言葉ですよ。中国人を馬鹿にする言葉ですね。

中国人が〝不够本〟(元値に足りない、損をする)と言うのを、いわゆる兵隊シナ語でポコペンと言ったんでしょ。チャンコロなんて言って中国人を馬鹿にしたけど、〝中国人〟Zhōngguórén が訛ってチャンコロなんだそうです。その口調を子どもが面白がって、大人が中国人を馬鹿にして言うのを、真似して口にするんです。

―― 東京にお住まいだった頃に、大人の方が話していたのを耳にされたのですか。

輿水 そう、大人は、ふだんの話の中では「シナ人」が一般的だけど、中国人のことを馬鹿にする時は、差別的な呼び方として使うんです。戦争の相手だから。学童疎開をする前だけど、そのころ読んだ絵物語みたいな本で、『広東(カントン)の日の丸軒』という、広東に駐留した日本兵の行く中華料理屋の話を覚えています。日の丸軒という屋号の、街の食堂。日本の軍隊が大陸に進出して、こんな食堂ができましたっていう宣伝でもある、日本人の目で書かれた本です。客の食べているテーブルの足元でニワトリが数羽、床にこぼれ落ちた食物をついばんでいる挿絵があった。子どもの雑誌に、中国人を笑いものにする漫画もありました。たとえば、中国の兵隊が、日本兵が攻めて来ると日の丸を掲げ、味方の軍隊が来ると青天白日旗を掲げるんですが、飛行機からも見えるように、戸板の表面と裏面に国旗が描いてあって、空を見上げては、戸板をひっくり返す、という、いかにも中国人を馬鹿にしたような漫画でした。こんなことも、子ども心に中国のイメージとして残ったわけですね。

たった一人の中国人教師

――当時、外語大で、中国人の先生はどんな方だったのですか。

輿水　外語大に入ってみたら、中国で八路軍にいたと言ってる人がいるので、びっくりしたんですが、その人のすごい訛りのある中国語が中国人の先生に通じるんです。たとえば、中国人の先生に〝不要〟bú yào（いりません）と言いたい時、「プヨプヨ」なんて言って通じちゃうんですよ。どうしたって「プヨウ」としか聞こえない。私は「プーヤオ」って言うから通じないんです。その人が「プヨウ」って言うと通じる。その時は、教室で習ってるのと違うなって思った。私たちの入学した環境は、ある意味非常に悪くて、その唯一の、中国人教師はすでに七十代後半の高齢者でした。包象寅[13]という蒙古旗人で、清朝末期に科挙の試験で秀才に合格した方と聞いて驚きました。なにしろ高校の歴史の教科書に記述がある、あの科挙ですからね。

――たしか宮島大八[14]先生に招聘された方でしたでしょうか。

輿水　包老師は清朝の官吏だったんで、辛亥革命で職を失って日本に来たって聞いていたけど、実際にはもう少し後のようです。『東京外国語大学史』(東京外国語大学、一九九九年)で見ると、宮島大八の招聘が最初のようです。内モンゴルで裁判官をやってる時に辛亥革命で、その後ずっと日本で中国語を教えていた。私が入学当時の、五十代の主任教授以下、先生方は全部その包老師に教わっている。

入学後、私たちにとって最初の中国語授業が、包老師の授業だったんです。先生は日本に何

13　包象寅(一八七七~一九五八)北京で蒙古旗人の家に生まれる。科挙の秀才に合格。一九一六年、善隣書院院長宮島大八の招聘で、講師として来日。一九一八年東京外国語学校外国人教師となる。一九四七年退職し東京中華学校校長に就任したが、一九五〇年以後は東京外国語大学教師として、逝去まで通算四十年、中国語教育に努めた。

14　宮島大八…(一八六七~一九四三)明治期から戦前にかけ中国語教育に尽くした教育家。書家としても知られる。大八は通称。字は詠士。一八八四年東京外国語学校卒業。中国で八年間学び、帰国後に中国語教科書『官話急就篇』を著し、中国語塾「善隣書院」を開く。

十年もいるというのに、日本語が一言も出来ない。全部中国語で言うんですよ。ところが喘息みたいに、しじゅう咳き込むんです。そして教室の床に痰を吐く。板を張った床に吐くんです。汚いな、中国人は、なんて思ったこともあったけど。吐いては、自分で〝痰多〟tán duō って言ってた。二年生の時だったか、同級生がその先生の家に遊びに行こうって言う。茗荷谷に清華寮っていう中国人の留学生の住まいがあって、そこに一人で住んでいらっしゃった。そこに行ったら、畳の部屋でも痰を吐いてた。中国語しか話さない点は、教育上よかったけど。外語大に入学して、人生初の中国語の授業が中国語を耳にするだけでしたから、一時間中みんなで笑い転げていました。大半の者が中国語の自然な音調を初めて聞いたので、奇妙に聞こえたんです。口移しに先生を真似するだけの方式で、声調もほとんど教えないままでしたからね。一九五四年でしたが、包老師の教科書は戦前戦中に使われた会話教科書の焼き直しでした。

中国語辞書との出会い

――当時、中国語の辞書はどんなものを使ったのですか。

輿水　同学社の『ＴＯＮＧＸＵＥ』第六号（一九九三年）に書きましたが、私は辞書について面白いめぐり合わせがあってね。一九五四年に外語大入学の、その年に、『井上中国語新辞典』が出たんです。大阪外語の井上翠[15]さんが著者です。戦前から、中国語辞典を作っていた方です。私の一年上までの学生は以前からの『井上支那語辞典』です。大阪外語大の人たちが、その戦前からの辞典に手を入れて、『井上中国語新辞典』になったんです。二期校の入学式は遅くて、その年は四月二十日でした。入学式当日だったか、その次の日だったか、クラスの仲間と辞典を買いに、神保町の内山書店[16]に行ったんです。そうしたら今日これから入荷します、ということで、入荷を店で待っていました。あのころ、内山書店はお茶を出してくれた。客を待たせているからかな、と思ったけど、その後いつでもお茶を出してくれた。お茶がお店の本にこぼれたら大変、と心配しました。

15　井上翠…（一八七五～一九五七）東京外国語学校別科で中国語を学び、卒業後は留学生の教育機関で日本語を教え、中国に渡り、現地で辞書編纂に着手。帰国後、山口高等商業教授を経て、一九二二年創立の大阪外国語学校において初代中国語教授となる。『井上ポケット支那語辞典』、『井上ポケット日華辞典』、『井上支那語辞典』などを著す。

16　内山書店…中国専門書店。創業者内山完造が一九二四年上海で開業、後に上海における日中文化人のサロンとなり、魯迅を庇護したことで知られる。一九三五年に東京店開業、現在は神田すずらん通りに店舗を構える。一九五四年当時は神田神保町の救世軍裏に所在。

その後、東大で学んでから、外語大の助手になった一九六〇年に、鐘ヶ江信光先生[17]の大学書林の『中国語辞典』が出ました。学校で着任のご挨拶をしたら、鐘ヶ江先生が出来立ての辞典をくださった。それぞれ、節目で最新刊の中国語辞典を手にしたんです。学生のころ、辞書以外、参考とする本も無く、字音を調べるにも、とにかく辞書を引きまくらなければならず、あれほど辞書を使ったことはなかった。『井上中国語新辞典』は判型としてはスリムで、ローマ字が引きにくかった。当時はウェード式ローマ字[18]です。私たちが学んだ記号はウェード式と、注音字母[19]です。

――その時代だとラテン化新文字[20]もありましたね。

輿水 ラテン化新文字には、これも辞書にまつわる縁があるんです。外語大を出て東大に進学した経緯を、先に話さなければならないんですが、私は進学するつもりなんて元々無かったんです。就職するつもりでした。ところが中国語履修者を求める就職先は友好商社ばっかり。友好商社ってわかりますか。三菱とか三井とか大手の商社ではなくて、当時の政治情勢では、大手を中国側が相手にしてくれないから、大手はダミー会社を作った。その小さな商社に就職するしかない。それに、私はその前から、商社には行きたくない、と思っていた。というのも、三、四年生になると、先輩が経験談なんかを話しに来るんですが、一番いやだったのは商社員の話。廊下をゆっくり歩いていたら怒鳴られたとか、朝から晩まで叱られているような話をする。その先輩は得意になってそんな話をするんだけど、そんなことのために中国語を勉強してるのかって、だんだん中国語の勉強がいやになった時期があったんです。中国語を使うのかも

17　鐘ヶ江信光…（一九一二〜二〇一二）東京外国語学校卒業の二年後、山口高等商業に赴任、戦後一九四六年に母校の東京外事専門学校教授、新制大学発足により東京外国語大学助教授、一九五八年に教授、一九七一年〜七五年第四代学長、退官後は京都外国語大学教授、神田外語大学教授を歴任。一九六五〜六七年NHKラジオ中国語入門を担当。著書に『中国語辞典』（大学書林）、『中国語のすすめ』（講談社）など。

18　ウェード式ローマ字…中国語のローマ字表記法の一つ。十九世紀後半に、中国駐在のイギリスの外交官トーマス・ウェードが、通訳養成のために考案した。日本を含め、各国で普及し、ピンイン制定以前の日本の中国語教育でも発音表記に使われた。

19　注音字母…注音符号ともいう。漢字の篆書など古代文字の簡単な字形を表音文字として、中国語の発音表記に用いたもの。一九一〇年代に中華民国が制定し、広く用いたが、中華人民共和国のピンイン制定以後は、主として台湾の学校教育で使われる。

20　ラテン化新文字…中国語のローマ字表記法の一つ。一九二〇年代に当時のソ連にいた瞿秋白がシベリアで働く中国人労働者のために考案し、普及を図り、三十年代には中国でも共産党統治地域で広まった。中国人によるローマ字表記法としては現行のピンイン制定まで使われ、陸志韋の『北京話単音詞詞彙』も採用。綴りに方言音の反映が見られ、声調を表示しないので、日本の中国語教育ではウェード式ローマ字が広く用いられた。

知れないけれども、そういう形では使いたくなかった。他には、新聞社とか出版社とか、受ける人は多かったけど、私は受けなかった。朝日新聞の記者で活躍した田所竹彦[21]さんは，同級生ですが、かれは最初から朝日新聞に入りたかった。ところがそのころは求人が少ないので、学校が受験先を調整したり指定をしたんです。就職担当の先生方が毎年、関西へも求人開拓に行くほどの就職難。求人があっても一人三か所しか受けさせない。しかも内定したら絶対そこに行かせる。田所さんは朝日新聞に面接まで進んだのに、同時に受けた味の素が先に決まって、仕方なく味の素に入り、その後、既卒者採用かなにかで、朝日に入ったんです。それぐらい就職が厳しかったんです。私が卒業したその年には、右翼が長崎で中国の五星紅旗を損壊した、という長崎国旗事件があったほど、日中関係が悪化した時期で、中国語での就職は難しかったんです。私には、戦後初めて中国語履修者の求人をするというふれ込みで、先生から大手の銀行の話が回って来たけど、結局求人は無く、話だけで終わってしまいました。

話題を戻しますと、それでやむなく東大に入ったんです。進学の勉強はしていないので大学院には入れません。学士入学という制度があって、学部の三年から入れます。外国語試験だけ、二か国語のね。入ってみたら同級生の渡邊晴夫[22]さんも一緒だった。かれは朝日新聞社や岩波書店を目指し、教員試験は受かったけども、勉強を続けることになった。辞書の話に戻りますが、東大を受験した年は面接の試験官が倉石武四郎[23]先生、小野忍[24]先生、藤堂明保[25]先生。倉石先生は一九五八年春に退官で、試験の時はまだ東大教授でした。四月の退官後も、倉石先生

21　田所竹彦…（一九三五～二〇一三）旧満州大連で出生。東京外国語大学卒業。朝日新聞記者。北京支局長を二度にわたり務める。退職後、宇都宮大学国際学部教授、二〇〇一年定年退官。著書『北京そぞろある記』（朝日新聞社）、『孫文百年先を見た男』（築地書館）など。

22　渡邊晴夫…（一九三六～）東京外国語大学卒業。東京大学文学部卒業。同大学院人文科学研究科修士課程修了。都立高校教論、名古屋外国語大学、長崎大学、國學院大學教授を歴任。『超短編小説序論』（白帝社）、『孫犂文選』（エーアンドエー）など、小小説に関する著作多数。

23　倉石武四郎…（一八九七～一九七五）東京帝国大学卒業後、京都帝国大学で学び、中国に留学、京都大学、東京大学教授の併任を経て、一九四九年からは東京大学専任の教授となる。生涯を通じて、中国語学、中国文学の領域で大きな足跡を残したが、中国古典学、とりわけ清朝小学（清代の古代中国語研究）に造詣が深い。中国語学会の前身である中国語学研究会を組織、日中学院（前身は倉石中国語講習会）の創立、NHKラジオ講座講師、月刊『中国語』誌の発刊など、中国語教育にも貢献した。漢文訓読の伝統に対し、生きた言語としての中国語を学ぶには、いったん漢字とは離れねばならない、という立場を貫いた。『支那語教育の理論と実際』（岩波書店）、『漢字の運命』（岩波新書）、『岩波中国語辞典』（岩波書店）、『中国語五十年』（岩波新書）など、著作多数。

24　小野忍…（一九〇六～一九八〇）東京帝国大学卒業後、出版社で百科辞典の編纂に従事し、満鉄調査部、民族研究所などの経歴から博学と評された。一九五五年から東京大学、定年退官後は和光大学の教授。中国現代文学に詳しく、趙樹理など翻訳多数。『金瓶梅』（岩波文庫）、『西遊記』の翻訳を手がけ、後者は未完で逝去した。

25　藤堂明保…（一九一五～一九八五）東京帝国大学卒業後、応召し復員後、第一高等学校教授を経て、東京大学文学部教授。一九六〇年代末の大学紛争で辞職、早稲田大学客員教授、日中学院院長を歴任。伝統的な文字学と異なり、字形が異なっていても字音が同じであれば意義の共通性があると、単語家族説を唱えた。『中国語音韻論』（江南書院）、『漢字語源辞典』（学燈社）、『学研漢和大辞典』（学習研究社）など、漢字をめぐる著書多数。

は東大構内に研究室があって『岩波中国語辞典』を作っていた。あの辞典は一九六三年に出たんですから、まだ原稿の段階ですね。倉石先生は、岩波の前に、『ラテン化新文字による中国語辞典』（和平出版社、一九五八年）といって、陸志韋の『北京话单音词词汇』（科学出版社、一九五六年）を訳出した、謄写版印刷で七分冊の辞書を出していますが、北京語ということで、加えて老舎の作品からも語彙を集め、岩波の中国語辞典を編んでいた。先生は老舎作品の語彙収集を周囲の方々に割り当てたのですが、私が老舎の『東海巴山集』[26]を持っていることを知って、私に語彙を拾う依頼があったんです。

『東海巴山集』は当時の岩波新書に翻訳がありながら、原本は、日本に一冊あるか二冊あるかの稀覯本。私はそれを持っていた。それでお鉢が回って来た。大変な仕事だった。先生から『ラテン化新文字による中国語辞典』をあてがわれて、老舎の使った語彙の、〝我〟でも〝你〟でも、〝来〟でも〝去〟でも、どんな言葉でも、収録されていない用法だったら、辞典の欄外に記してください、書ききれなければ紙を貼って書き入れてください、半年でやってください、と言われた。『東海巴山集』は短編小説十二篇で、厚い本ではないけれど、そのころの生活環境はよくなくて、私は自宅住まいだったけど、冬の暖房などはないんです。毛布を足に巻いて、かじかんだ手で必死に書き込んだ。辞典が出たら、私にも一冊くれるかな、と思いながら。すっかり書き込みが終わって、お届けしたら、先生はパラパラと見てから、「こんなにやってくださらなかった方もいました」と言われたので、「ああ、よかった、これはよいほうなんだ」って安心しました。後に『岩波中国語辞典』も一冊いただき、あとがきの語彙収集者の列に名を記していただきました。

趙玉明さんと文通

――『東海巴山集』はどうして先生の手元にあったのですか。

輿水　私がどうして『東海巴山集』を持っているかって言うと、私は北京大学の学生と外語大一年生の時から文通していたんです。同級生に文通趣味の人がいて、ある日、教室で、北京大学の学生から束になって手紙が来ちゃった、振り分けるから返事を出してくれって頼まれた。

26　『東海巴山集』…老舎の短編小説集。原書は新豊出版公司の一九四六年上海初版。岩波新書に千田九一による翻訳（一九五三年）がある。書名は所収十二篇が青島と重慶で執筆され、東海は青島、巴山は重慶（四川）を示す、として名付けたと、序文にある。

一年生の時だから、返事を書くと言ったって、中国語はたどたどしくて書けませんよ。私は一人を選んで返事を出したんです。後年、北京広播学院の学院長で、現在の中国伝媒大学ですが、いまは定年退職された、趙玉明[27]さんっていう人だけど、北京大学中文系の学生だった。途中で中文系の新聞専業が北京大学から分かれて、中国人民大学の学生になった。中国の新聞学の権威者です。北京大学に手紙を送っているころ、こんなことがあった。ビニールっていうものがわからないって書いて来たから、ビニール製品の、四角い風呂敷みたいな生地とか、小間物というか、そんなものを小包で送ってあげた。あちらから送ってくれるのは栞や絵葉書ぐらいだったけど。

私が外語大の四年生になって、卒業論文を書く時、語学で書きたかったけど、テーマが探せず、指導教官の田中清一郎[28]先生に相談したら、老舎の作品を読んでよくわからないことがあったら、それをテーマにしなさいって言われ、老舎の作品を読み出したんです。だけどどこが問題になるのか、わからないんですよ、学部四年生ではね。仕方なく、語学では書けないから、老舎の作品論か作家論にしたいって先生に話した。資料を集めるため、先生に、参考書を教えてくださいって言ったら、本屋に行って聞きなさいって言われた。それは、後で考えたら名言なんですけどね、自分で探せっていうことですよ。だけど、その時は本屋という言葉が癪に触って、少し腹が立った。何か一言教えてくれればいいのにって。田中先生は、それまで『学文化字典』[29]『同音字典』[30]『支那文を読む為の漢字典』[31]など、授業のなかで、それぞれその時期に適した字引などを紹介してくださっているので、安易に尋ねてしまったことを反省したものです。

27　趙玉明…（一九三六～二〇二〇）一九五九年、中国人民大学新聞系卒業後、北京広播学院で教職に就き、二〇〇七年定年まで中国新聞史、中国放送（ラジオ・テレビ）史の教育研究の第一人者であった。二〇〇四年、北京広播学院が中国伝媒（メディア）大学と改称後は副学長を務めた。著書『中国現代広播簡史』、『中国広播電視通史』など。

28　田中清一郎…（一九〇六～一九九〇）東京外国語学校卒業。陸軍士官学校で教授の傍ら、一九四二年から東京外事専門学校にも出講。新制大学移行にともない東京外国語大学教授。一九六九年定年退官。一九三〇年に王力の『中国文法学初探』の訳書（文求堂）を出すなど、はじめ文法研究に比重があったが、戦後は『魯迅選集』（青木文庫）など文学作品の翻訳なども手がけている。『テーブル式中国語便覧』（評論社）、『中国語熟語辞典』（白水社）、『中国の俗諺』（白水社）など、言語文化に関わる著述がある。

29　『学文化字典』…黎錦熙主編、北京師範大学中国大辞典編纂処編、商務印書館、一九五二年出版の、小型字典。注音字母、ラテン化新文字、同音漢字併記による字音表示。

30　『同音字典』…中国文字改革委員会中国大辞典編纂処編、五十年代出版社、一九五五年刊行の、部首配列ではなく字音の同じ漢字を集めて配列した、一万字強を収録する中型字典。注音字母による字音表示。初版は縦組みであったが、一九五七年の第二版は横組みで、注音字母のほかに、ピンインの一九五七年草案にもとづく字音表示もしている。字義の注釈などに初版との異同がある。奥付は中国大辞典編纂処編、商務印書館出版。一九九二年に日本で復刻版（白帝社）が出ている。

31　『支那文を読む為の漢字典』…一九一五年に上海商務印書館が出版した『学生字典』を日本語に訳し、増補を加えたもので、八千字収録という。中国語を読むには漢和字典が意外に役立たず、その弊を除き、缺を補う為に編んだ、という。一九四〇年に文求堂初版であるが、戦後も刊行していた。二〇一〇年には研文出版から刊行されている。

1990 年 6 月。北京飯店でペンパルの趙玉明さんと初めて会う。左から、趙玉明、輿水。

仕方なくて北京の趙さんに手紙で、私の卒論計画を書いた。老舎のそれぞれの時代の作品のコメントをしたいんだと、論文の筋書きを書いたんです。そうしたら解放前のね、北京大学図書館所蔵の新聞雑誌類から老舎の作品に関する文章を全部手書きで写したノートを一冊送って来てくれた。あのころ、コピーなんてないでしょ、ノートにびっしり手書きでびっくりした。いまでも大事に持っています。万年筆で、中国人の達筆でね。実は、北京広播学院と日大芸術学部との交流協定があって、十年ぐらい前、趙さんが日本にやって来た。かれの奥さんも来た。私はノートを持って行って見せました。あちらもびっくりしていた。ノートと同じころに、何冊か老舎の著作も送って来てくれたんです。その中に『東海巴山集』があったんです。『四世同堂』もありました。古本屋で買ったらしい、汚れた本でね。それを持っているんです。実は、趙さんとの文通は、文革にさしかかったころ、迷惑が生じては悪いと思って、こちらから中断したんですが、九十年代に世界漢語教学学会[32]で訪中の機会が増えて、初めて会うことができたんです。

黎波先生の話

輿水　老舎の作品から語彙を集めた『岩波中国語辞典』は、その前に出た、陸志韋の『北京话单音词词汇』を訳した『ラテン化新文字による中国語辞典』が基盤で、原本の訳出には中国人の先生も協力されています。私は、東大で藤堂先生から、原本の単音節語彙の用例を日本語に訳していく授業を受けました。

——どんな方が中国語のチェックをされていたのでしょうか。

輿水　『岩波中国語辞典』については、黎波さんという、東大とお茶の水女子大と併任の外国人教師がお仕事をされています。教師っていうのは外国人の専任教員のことです。私は東大で

32　世界漢語教学学会…一九八七年に第二回国際中国語教育シンポジウムが北京で開催された際に設立の学会。略称は世漢、日本語では国際中国語教育学会となる。本部は北京にあり、学会誌『世界漢語教学』を刊行している。本書百八十八ページにも詳細な記述がある。

も外語大でも本当にいい先生方に教えを受けて幸せだったんですが、東大で黎波先生に教わった二年間、学生が数人しかいない授業で、私は二年目は少し怠けたから、残念なことをしました。戦争末期に、中国からの最後の公費留学生で来た方でした。京都大学で勉強をして倉石先生と知り合い、その後、東大とお茶の水女子大、両方で教えられた。演劇に詳しく、老舎の翻訳も手がけられていた。早口で、日本語がよく出来て、朝日新聞の演劇評や匿名評論なんかも書いていらっしゃった。日本の漫才に当たる「相声」を教材にした際の授業を、私はよく覚えています。岩波辞典で収録語彙の硬度を、書き言葉とか、スラングとか、十ランクに分けたのは黎波さんです。先生から、いまのコンピューター時代では考えられない編集作業のエピソードを聞きました。熱海の岩波の別荘に行って、収集した語彙カードをずらっと並べて作業する。暑い日でもガラス戸を閉め切って、パンツ一枚になってやったとか。窓を開けたら風が入ってカードが飛んじゃうもの。そんな話をいろいろ聞きました。

外語大で受けた中国語授業

――外語大での中国語の授業はどんな様子でしたか。

輿水　外語大の中国人の先生の話をしましたが、外語大では、そのころ、中国語専攻の一年生

1972年、撮影場所不明。長谷川寛先生、輿水。

1974年、長谷川先生定年退官時、撮影場所不明。右から鐘ヶ江信光先生、輿水、長谷川寛先生、金丸邦三、有田和夫。

は、九十分の授業が週に七コマだったんです。そのうち一コマは「事情」と称していました。専任の先生以外に非常勤の先生がいないので、「事情」を教える人がいなかったからか、一年生の時は七コマすべて語学だったと思います。清水元助[33]先生が主任で、田中清一郎先生、鐘ヶ江信光先生、長谷川寛[34]先生、この四人の先生。中国人は包老師だけ。日本人の先生は、みな包老師の学生、田中先生以下三人の先生は、みな清水先生の学生。長谷川先生の授業がメインで、一年生でも二年生でも週二コマ、一年生の時は二コマ半やったこともあった。二年生になったら、「事情」という授業が入ってきて、奥平定世[35]先生が非常勤で加わった。奥平先生は、元は語学の方です。戦前、大阪中央放送局の中国語講座で講師もされた、古くからの先生。非常勤講師はこの先生だけだった。私は、後に教員としてカリキュラムを作る立場になってから、中国語学科に出来るだけ多くの非常勤講師枠を獲得し、語学はもちろん、語学以外の専攻科目にも、それぞれの分野で活躍中の専門の方々に出講していただこうと思い、研究者はいうまでもなく、新聞記者でも商社員でも、幅広く出て来ていただいたんです。

話を私の在学中に戻すと、中国語の学力アップにかかわる授業は、なんといっても長谷川寛先生、そのころはまだ四十代の先生でした。中国語作文という授業を担当された。作文と言っても、実際は文法のルールを把握させる授業です。日本語の短い文を中国語に言い換える翻訳練習が中国語作文。この練習で文の組み立てと、常用語句や慣用語句などを覚える。私が入学した一九五四年春に、長谷川先生の作文教科書が活字印刷で出版されたんです。全五十課、付録に実力養成百五十題。末尾の二課以外、各課は用例が六題ずつ掲げられ、続いて練習問題が十題、使うべき語句は示されているけど、説明は一切無し。先生が例題のところを簡単に説明するけれど、超簡単。次回に練習問題を予習して来たら、指名して黒板に書かせる。先生が添削して、それをみんなで読み上げる。あとは暗記して来なさいということで、次の週にテスト。毎回、B４判わら半紙八つ切りの用紙で三枚ぐらい。例題と練習問題からの出題。中国語訳のほか、テキスト以外の応用問題も含め、書き取りや聞き取りもあった。それだけのこと、年中

33　清水元助…（一八九八〜一九八二）一九一九年、東京外国語学校卒業と同時に助教授、一九三〇年に教授、戦後は一九六〇年の退官まで主任教授を務めた。はじめ、作文や児女英雄伝、紅楼夢など、後に時文、尺牘、広東語などを教授。定年後は麗澤大学教授。主著に『言文対照初級支那時文講義』（共著、外語学院出版部）、『粤語課本』（麗澤大学）。

34　長谷川寛…（一九一二〜一九八二）東京外国語学校卒業。大連商業、山口高等商業などを経て、復員引き揚げ後、一九四六年に東京外事専門学校に着任。新制大学に移行してから一九七四年に定年退官するまで、中国語作文教育を担当し、毎時間の暗唱と小テストを欠かさず、学生の実力向上に努め、外語大中国語教育の、一つのスタイルを確立した。定年後は麗澤大学に移り、一九七九年に退職した。作文教科書以外に、実地に役立つ多数の参考書を執筆している。主著は『中国語作文』（白水社）、『中国語会話 入門から実用まで』（白水社）、『わかる中国語基礎編、実力編』（三省堂）、『中国語式辞挨拶文例集』（共著、白水社）。

35　奥平定世…（一九〇二〜一九八四）戦前戦中に『標準支那語読本』、『模範支那語教程』など、学習書の著作がある。戦後は麗澤大学教授。中国や東南アジアの民族と言語を研究。

それを繰り返していくんですね。授業開始直後にテストだから遅刻ができない。誰か遅れて来ると、テストが追加され、用紙が五枚にもなるので、遅刻者はみんなにうらまれた。二年生の授業も同じやり方だけど、教科書の例題や練習問題は長文になりました。この授業はもっぱら暗記で、先生は私たちが例題六題を順番通り覚えていないと駄目なんです。テストで、ある一つの課の例題をすべて書くように指定され、一番から六番まで、例文を配列通りに書く。順番が違ったら採点してくれない。ある意味、馬鹿馬鹿しいんだけど、それぐらいよく覚えて来いということなんです。とにかく必死になって覚える。複数の課をまとめて進むこともあったから、覚える量は大変なものでした。電車に乗っても、歩きながらでも、思い出しながら念仏のように唱えていた。

外語大は、当時のキャンパスは染井墓地という大きな霊園のそばでした。長谷川先生は、霊園を通って来る時に墓碑に書いてある漢字を中国の字音で読めるようにして来いとまで言われた。いま、外語大のキャンパスは多磨霊園のそばに移転して、墓地には縁があるね。クラスのみんなは多分、前の回にやったところしか覚えて来ていなかったと思うけど、私は毎回、第一課から全部暗唱が出来るようにしていたんです。当時の同級生に会うと、いまでも例文を覚えている者がいる。よほど刷り込まれた、ということですね。実は、長谷川先生の、当時の小テストの答案は、私はみんな家に取ってあります。当時、外語大は三年生になるまで進級制というか、落第制で、専攻語学の成績不振者は〝留级〟liuji（落第、留年）となりました。テストや暗唱のせいで、長谷川先生に落とされるのではないかと学生たちは恐れていましたが、実はとても温情のある方でした。誰か遅刻すると誰々が遅刻したから記念に、と言ってテストが追加されたけど、遅刻常習者の得点救済にはなりました。学生が練習問題を黒板に書いている間にテストの採点しちゃうんですが、学生から赤鉛筆を借りて、その学生に点数を足したりもしていました。これだって、救済になったのかも。厳しい先生だと言われていましたが、後に、私は同僚になって、先生の学生に対する温情が一層よくわかりました。

一年生の十月になったら、白水社から『中国語作文』という単行本が出たんです。長谷川先生の新著です。先生は外語卒業後、旧満州の大連で中国語の先生をしていて、そのころからすでに、日本語を中国語に直す、中国語作文を専門になさっていたんですね。雑誌にずっと、翻訳演習などを寄稿していたから、新著はいわばその集大成。先生はユーモアがあるというのか、教科書としては不謹慎な例文がいろいろ載っていました。「お前のような穀潰しは馬に蹴られて死んでしまえ」とかね。当時は、そんなどぎつい例文があって、みんな面白がったけれど、後年、無難な例文ばかりになっちゃった。その白水社の本が出たら、今度は作文教科書に加

1982年秋、北京語言学院から招聘の中国人教師の研究室歓送迎会。初代の劉山先生、二代目の馬欣華先生。前列左から、劉山、馬欣華、輿水。後列左から、依藤醇、小林二男、金丸邦三、高橋均、有田和夫。

えて、毎週その新しい本からも五頁ずつ暗記して来ることになった。五頁というと文例が二、三十もあって、文も長いんですよ。やっと二年生の途中で三百頁もあるその本が終わったと思ったら、もう一度はじめから、二回目は十頁ずつ暗記して来ることになった。今度は六十題ぐらい暗記しないといけないんです。テストは、その中から五題が出るだけです。

長谷川先生の暗記やテストには反発する学生もいてね。ところが、在学中あんなにいやがって、反発していた人が、後に他の大学で教員になったら、自分も長谷川先生の、その方式で授業をしていた、という話も聞きました。

卒業後、東大の言語学に進んだ大島正二[36]さん、同級生ですが、言語学で研究者になるつもりで外語大に入ったらこんな授業、と反発した一人。言語学はヨーロッパの学問だから、中国語では大学院の入試が受けられず、やはり学士入学で東大へ進学。北海道大学で中国語を教え、外語大の中国語専攻で、言語学を究めた学者として大成しました。

長谷川先生の作文教科書は、私が入学した年に、活字印刷の新しい版が出たんですが、先生は年々改訂して、時には手書き謄写版印刷にもなったけど、一九六一年に書籍文物流通会から出された活字印刷の『標準中国語作文』からは、要点という語法解説の項目が加わり、作文教科書の体裁が整って定着。昔、高校の英作文で使った村井・メドレーと称する、村井・メドレーは著者の名前ですが、英作文教科書を思わせる構成になりました。後年、長谷川先生の逝去(一九八一年)後ですが、研究室で同僚の依藤醇[37]さんと、部内用に数回修正をして、私は退職時まで使用しました。教科書以外にも長谷川先生を引き継いだものがあります。私が入学した時、最初の週に先生はいきなり注音字母を黒板に書き並べて説明し、連休明けには覚えておく

36 大島正二…(一九三三〜二〇一一)東京外国語大学卒業、東京大学文学部言語学科卒業、東京大学大学院人文科学研究科修了。北海道大学教授、二松学舎大学教授。主著は『中国言語学史』(汲古書院)、『唐代字音の研究』(汲古書院)、『漢字と中国人』(岩波新書)、『中国語の歴史』(大修館書店)。

37 依藤醇…(一九四五〜)東京外国語大学卒業、東京外国語大学大学院修士課程修了。一九七三年から外語大の教壇に立ち、中国語学の分野では、一九九二年に小学館から刊行された『中日辞典』の主たる編者として、中国の商務印書館との共同編集に従事、日本での使用に向けて大きな修訂を加えた第二版(二〇〇二年)では編者代表となって類書の追随を許さず、さらに修訂増補した第三版(二〇一六年)を刊行している。定年退官後は目白大学に移り、二〇一六年に退職した。

ように指示され、毎回のテストにも必須で、それ以後ずっと注音字母を使いました。他の先生方はウェード式ローマ字が主体でした。注音字母は音節の構成を知るには有用であり、しかもピンインの時代になっても『新華字典』[38]がピンインと併記している限り読めなければいけない、と説明して、私も長谷川先生と同様に、毎時間のテストではずっと注音字母を書かせて、学生の習得を促しました。私が入学した年は、鐘ケ江先生の読本教科書も活字印刷で出ました。そのころ、中国語のテキストはほとんど先生方が手書きで、謄写版印刷。私が外語大の助手になったころでも、俗にガリ版と称した、謄写版印刷全盛で、先生方の分も、配布教材の作成をお手伝いすることがありました。

田中清一郎先生は、私たちが一年生の時、中国の小学生の国語教科書『語文』から抜粋して、自分で謄写版印刷した教材を配布されました。田中先生は、三十代のころは王力[39]の『中国文法学初探』を翻訳されたり、語学の専門だけど、戦後は魯迅の翻訳もされ、学校では文学の分野も担当していたから、私は、はじめ文学の先生だと思っていました。風貌も、なんとなく魯迅の肖像に似ている感じがしました。後に、私は自分の講読の授業で、魯迅の作品の日本語訳本を数多く集めて、訳法や訳語の対比をした時、田中先生の日本語訳は、原文のニュアンスのとらえ方に、文学系の訳者とは異なる、いかにも語学者らしい感覚を感じとったものでした。

一年生の教材でも、語句の説明がよく勘所をおさえていて、私はいまでも当時のノートを開くことがあります。二年生は魯迅の小説の講読でした。毎回、前回読んだ範囲から二百字、どこか自分の好きなところを暗記して来て、授業のはじめに書かせる宿題があった。提出した宿題はきちんと添削して返してくださった。おかげで、私はいまでも魯迅の作品の書き出しとか、原文をあちこち覚えています。田中先生は、三、四年生では、漢魏六朝散文選や、梁啓超の清代学術概論などを講読で使ったけれど、現代語の授業で得たような、中国語の学び方につながる説明はあまり覚えていません。

思い出してみると、当時の外語大の授業は暗記、暗唱、そして、聞き取り、書き取りばっかりだった。清水元助先生は『論語』、『聊斎志異』なども教材にされたけれど、原文と、口語訳を読み上げ、学生に書き取らせるだけのことだった。『児女英雄伝』だけは新中国で出版された、不純な箇所を削除済みの本だったけど、とにかくあちらの原書を使うので、同じ授業形態だっ

38 『新華字典』…中国で規範とされている小型字典。人民教育出版社、一九五三年初版。かつて教育部の担当官から小学生全員に持たせたいが、一億冊以上必要という話を聞いたが、二〇一四年に発行部数累計五億冊を越えた。現在は商務印書館の第十二版（二〇二〇年）が最新版。

39 王力…（一九〇〇～一九八六）中国の言語学者。清華大学大学院に学び、フランスに留学し、イェスペルセン、ヴァンドリエスに学ぶ。一九五四年、中山大学言語学系から北京大学中文系に移り、逝去まで教授。『中国現代語法』、『中国語法理論』、『漢語史稿』、『漢語詩律学』など、著作は多岐にわたり、中国における現代言語学研究の基礎を築いた。

たけれど、記憶に残っています。『児女英雄伝』は、清水先生が昔、留学した時に中国の先生が使った教材のようだった。清水先生の授業では、一年生の時にちょっとした事件があったんです。時文といって、戦時中までは盛んに使われた書き言葉の教材。いまなら新聞の文体だけど、新中国とはおよそかけ離れた内容なんで、学生の反発が大きくて、クラスでストライキをしかけたことがあった。文脈の無い、こまぎれの短文をひたすら覚えるんです。しかも〝已经〟yǐjīng が〝业已〟yèyǐ とか、〝就要〟jiùyào が〝即将〟jíjiāng なんていう書き言葉。先生が憤然「来週、試験する」と抗議をしりぞけた。その清水先生は、授業の前後に全員が起立してお辞儀をしないといけない。誰かが号令をかけるわけではなく、自発的にするんだけど。ある時、ちょっとお辞儀の遅れた学生がいて、先生はラグビー部のその学生の体をぐいぐい押して、廊下に出してしまったほど、行儀作法もきびしく指導しました。

　鐘ケ江先生は、当時は、辞典のお仕事がお忙しそうだった。辞書作りのお手伝いをするバイトの同級生がいた。鐘ケ江先生は学生寮の舎監で、隣地にお住まいだったから、寮生の同級生から、先生のご家庭の様子など、よく耳にした。専門の授業では、王力の『漢語音韻学』なども教材だったけど、やはり先生の中国語による講義をひたすら書き取る授業が主でした。なんの本か出所不明の書き取りなど、タネ本がわかれば、たやすく対応できそうだ、とささやき合ったものでした。それでも、一、二年生のころは、当時の外語大にわずか三台だけというテープレコーダー、ソニーの前身の東通工製で、トランク大の録音機だけど、それを教室に運んだり、期末試験は個別に発音を聴取されたり、正しい、きれいな発音を指導された。二年生では老舎の戯曲『面子問題』がテキストで、台詞など、先生の美しい発音が、いまも耳に残っている感じがします。

せわしい毎日だったけれど、同級の有田和夫さん、東大の中国哲学に進み、後に外語大の専任から東洋大学に移ったんですが、かれに誘われて二年生ごろから、二人だけの文学作品の読書会をした。最初が茅盾の『腐蝕』、いま本を開くと注音字母のルビをあちこち記している。次第にルビが減っているのは、それだけ字音を覚えたということでしょう。天気のよい日は運動場の隅の草むらに座って読みました。読了が一九五六年一月二十日でした。

教室会議のこと

輿水　外語大に入って、いわゆる部活動はしなかったんですが、中国研究会には入りました。中国語の勉強に、何か役立つかな、といった気持ちでした。積極的な動機が無いから、記憶に残るような活動をした覚えがありません。木造校舎の一角に部室が雑居し、相部屋なので、中国研究に浸れる雰囲気でもなかった。いくつかの研究領域というか、コースに分かれて研究会らしき活動があったようです。私は、組織とか、名称とか、忘れてしまったんですが、語学班とでもいうような集まりで、先輩にあれこれ話を聞き、中国語の教育や学習をめぐり、新たな知見を得たという、いわば輪郭しか思い出せません。唯一、耳に残っているのが「中国語には文法が無い」と先輩が語った言葉でした。後年、高名凱[40]の『汉语语法论』(修訂本、科学出版社、一九五七年)に〝汉语有语法吗?〟Hànyǔ yǒu yǔfǎ ma?(中国語に文法はあるか)という一章があり、十九世紀のヨーロッパの中国学者が唱えた説だと知りましたが、先輩の一言は、直接には別の出所があったのです。

当時、東大教養学部の工藤篁先生が、中国語は外国語である、漢文は外国語ではない、かつてのシナ語は実用語学であり、いまこそ中国語を独仏などと同じ外国語として成り立たせようという主張をされていました。これは、多分に旧制高校から新制大学に至る、直接的には工藤先生周辺の教育課程における中国語の位置付けや教員の配置、資質に由来する発言でしたが、先生は一九五三年秋に、学生諸君への提案と題してアピールを発し、教授側も中国語の教室を一般外国語の教室並みにしようと奮闘しているのだから、学生側も自分たちの教室を真摯なものにすべく、討議してはどうか。そのための学生会議が、全国の中国語学習者を網羅し、活発に討議できたらすばらしい、と呼びかけたのです。

同年十一月、中国語学の学会である中国語学研究会[41]全国大会では、工藤先生の参観授業が行われ、学生を大量動員。翌十二月の学会月例会で安藤彦太郎[42]さんの報告「急就篇をめぐって」の後、参加した各大学の学生たちが、中国語教室学生懇談会、略称教室会議を組織しました。一つヤジを飛ばせば、何だか毛沢東の文化大革命発動みたい。一九五四年に入ると、毎月の学会例会にも各大学の学生が参加し、同時に経験交流の懇談会やら討論会を行うようになりました。私が外語大に入学したころは、その活動が東京周辺の大学で、中国研究会の活動などを通じて波及してきた時期、「文法が無い」の出所が、これでわかっていただけるでしょう。わが先輩は「中国語は外国語である。しかるに、教室でまともな文法を教えていないではないか」

40　高名凱…（一九一一～一九六五）中国の言語学者。燕京大学大学院修了後、フランスに留学し、言語学をマスペロに学ぶ。帰国後、燕京大学で教職に就き、一九五二年燕京大学廃止で、北京大学教授となる。ヴァンドリエスの影響を受け、一般言語学の理論に従って中国語の文法記述をすることを提唱した。主著に『漢語語法論』、『語言論』などがある。

41　中国語学研究会…一九四六年設立、京都大学で第一回例会。翌年、会誌『中国語学』第一号発行。一九七八年、中国語学会と改称。一九八九年、日本中国語学会と改称。

42　安藤彦太郎…（一九一七～二〇〇九）早稲田大学卒業。中国経済論、日中関係史を専攻。早稲田大学教授。一九八八年に退職後、日中学院院長。著書に『日本人の中国観』（勁草書房）、『中国通信』（亜紀書房）、『中国語と近代日本』（岩波新書）など。

と聞かされて来たのでしょう。別の先輩に誘われて、そのころ竹内好[43]さんの講演を聞きに行ったことがありました。話の中で、「外語は行商人の中国語を教えている」などと、やはり中国語教育の批判を聞かされました。教室会議では、引き続き学生が学会の月例会に参加し、討論会や、授業参観の活動もしていましたが、私にはほとんど無縁の存在でした。

その年の十月、金沢大学で開催の中国語学研究会第五回全国大会に各大学の学生を集め、学生側の報告や先生方との討議があるから代表を送れ、という要請が教室会議から届き、外語大では一、二年生のクラス討論で、二年は金丸邦三[44]さん、一年は私が代表に選ばれ、二人がその日の夜行列車で金沢に行きました。私なんか中国語を始めて半年ですから、学会の大会に出ても、話されている内容がわかりもせず、なにやら、先生方は勉強していない、新しい中国のことを勉強せよ、文法なんかやってないじゃないか、といった趣旨の、学生の発言が印象に残りました。教室会議の活動には、だいぶ反発する先生が多かったんですよ、外語系であるほど反発しました。戦争語学とは言わないが、いまだに古い語学教育を引きずっているとばかり、東大をはじめ、外語系以外の大学の中国語教育の問題に、外語系が敵役のような役回りをさせられている感じでした。田中先生からは当時、学生が先生方の研究の場に来るのは好ましくない、と聞かされました。私自身は、教室会議のおかげで、他大学で中国語を学ぶ人たちと知り合い、その後は、例会に出ることは少なかったけど、連絡役ぐらいはしていました。三年ほどして、活動が休止状態になったと思うけど、私は他大学の仲間と中国語の読書会などをしばらく続けた記憶があります。教室会議や、工藤先生のお考えは先生の著作集『中国語を学ぶ人へ——創業の詩——』（一水社、一九七五年）で知ることができます。

私の中国語への視点

輿水　長谷川先生の作文の授業などで、手元の辞書の説明を引き合いに出して質問すると、それはヤスイ字引だから、といって、正面から取り合ってくれないことが多かった。ヤスイの意

43　竹内好…（一九一〇～一九七七）中国文学者、文芸評論家。東京帝国大学卒業。大学在学中に「中国文学研究会」を結成。一九五三年に東京都立大学教授となるが、六〇年安保闘争中に辞職、その後雑誌『中国』を刊行。魯迅の研究、翻訳や評論家として活躍。『現代中国論』（新編、勁草書房）、『魯迅入門』（講談社文芸文庫）。

44　金丸邦三…（一九三三～二〇一五）東京外国語大学卒業後、東京都立大学大学院に進学、博士課程満期後、シンガポールの南洋大学講師を経て、一九六五年から外語大の教壇に立ち、一九七六年に教授、校務では附属日本語学校長を務めた。定年退官後、大東文化大学教授。中国近世語学、文学を専門領域とし、元明時代の小説戯曲や民間文学を講じた。中国俗文学研究会を組織し、会誌『中国俗文学研究』を刊行。一九六七年から六年間ＮＨＫラジオ講座を担当。著書『中国語四週間』（大学書林）、『日中ことわざ辞典』（同学社）、『中国語ことわざ用法辞典』（共著、大学書林）。

味はよくわからなかったけど。先生の気持ちは、理屈より、あるがまま覚えよ、ということなのかな。そのころは外語大に限らず、特定の語句の機能を説明するのに、文法的な説明よりも、これは口調をよくするため、なんて言ったり、このほうが語気が強いとか、弱いといった言い方をする中国語の先生が多かった。たとえば、程度副詞の〝很〟hěn だけど、私は、なぜ中国語はこんなに〝很〟を多用して強調するのだろう、と疑問に思っていた。〝很好〟hěn hǎo の〝很〟の機能です。趙元任[45]は、形容詞は動詞と同じように述語になるけど、〝很〟を添えると句が〝完整〟される、と述べていた。「整う」ということですね。朱徳熙[46]先生が、「現代漢語形容詞研究」で〝很〟の働きを的確に記述したのは後のこと。その基になる考え方は、旧ソ連時代に出たドラグノフ（龙果夫）の『現代漢語語法研究』にあるんです。中国語で初めてといってよい、品詞論です。これを読んで、はだかの単音節性質形容詞は比較、対照をあらわす、〝很〟を添えれば、その制約が消え、重ね型形容詞と同じ状態形容詞の働きとなり、文として完結する、とわかった。道理で〝A比B很好〟とは言わない。ドラグノフの中国語訳本は一九五八年に科学出版社から出ました。私が東大で学び始めたころで、大学院の先輩と早速一緒に通読しました。それがきっかけで、動詞を修飾する、正確には動詞句を修飾する〝很〟があることを知り、藤堂先生の指導で卒業論文に仕上げました。卒業直後の一九六〇年四月発行の学会誌『中国語学』

九七号に卒論の「動詞を修飾する〝很〟について」が載りました。翌年、一九六一年第八期の『中国語文』に饒継庭さんの「〝很〟＋动词结构」が掲載されました。同じテーマです。一足先に発表出来てよかったけれど、当時は学術交流も無かったから、少し残念な気持ちだった。

私は、参考書やテレビ・ラジオのテキストを執筆する時、他の本では説明を飛ばしているような語句の働きを、できるだけこまめに説明するようにしているんです。ネットで見たんですが、私が大学書林から出した『やさしい中国語の作文』の読者が、なぜここでは〝了〟を使

45 趙元任…（一八九二～一九八二）中国の言語学者。主にアメリカで活動した。十八歳でコーネル大学に留学。はじめ数学を専攻したが、音声学に興味を持つ。一九二〇年、清華学校の招聘で帰国。国語統一準備委員会のメンバーとなり、国語ローマ字制定に携わる。二十年代から三十年代にかけて全国各地の方言調査に歩く。一九三八年アメリカに渡り、はじめエール大学、次いでハーバード大学、カリフォルニア大学で教職と研究活動。一九五四年アメリカ国籍取得。著書は『現代呉語的研究』、『湖北方言調査報告』、『Mandarin Primer』、『中国話的文法 A Grammar of Spoken Chinese』、『語言問題』など。

46 朱徳熙…（一九二〇～一九九二）日中戦争中、西南連合大学で、はじめ物理系、二年次から古文字学に興味を持ち、中文系で学ぶ。一九四六年から清華大学中文系で教職に就き、一九五二年、大学の学部改編で北京大学に移り、ブルガリアのソフィア大学に招かれ中国語を教えた。一九五五年に帰国して北京大学中文系に戻り、一九七九年から教授。現代中国語文法を、記述言語学の理論と方法を吸収して解明、体系化したほか、古文字学の研究においても文法研究の成果と関連させ、戦国時代の古文字の考証をした。校務では北京大学副学長兼大学院院長、学界では中国言語学会会長、世界漢語教学学会会長を歴任。全国人民代表大会常務委員の激職に就いた。一九八九年、アメリカのワシントン大学、スタンフォード大学に研究と講義のため、相前後して招かれ渡米したが、現地滞在中に癌を発病し逝去した。『語法修辞講話』、『現代漢語語法研究』、『語法講義』、『語法答問』などの著書のうち、新中国誕生直後に『人民日報』に連載の『語法修辞講話』（商務印書館）は呂叔湘との共著であるが、文法知識の普及と関心を高めた。

1997年2月6日、東京外語大定年退職時の最終講義の日、外語大キャンパスで。

うのか、ここでは使わないのか、ということがよくわかった、他の本ではわからなかったって、書いてくれていた。私はそういう点をあえて書くんです。ところが私のNHKの講座に対して、ある日、朝日新聞のラジオ評に、文法の説明ばっかり、中国語をもっと聞かせて、という投書が掲載されていたんです。そのころはカセットブックが同時に出ていて、ゲストの音声は何回でも聞けるんですけど。文法と言われても、私の説明は定語とか状語とか、文法用語の解説ではなく、ここに〝就〟jiùがなぜ入っているのか、といった話です。テキストに書くスペースが無いから、放送で一言付け加える、というやり方でした。他の講師よりもそういう説明が多かったんでしょうね。その言葉を使っている以上、何か理由があるんです。私は中国語でそれを知りたいんです。

私が教員になってから、一九六四年の『中国語学』一四四号に掲載された「〝个〟について」も、われわれ外国人には用法のよくわからない点があるので取り上げたものです。〝一个、两个 yí ge, liǎng ge の〝个〟について調べていたら、面白いことに、『同音字典』って見たことありますか。一九五五年に出たんだけど、早くに絶版。私は『新華字典』よりよい辞書だと思っているんですが、この『同音字典』は初版と再版で〝个〟の説明がすっかり変わっているんです。私が興味を持った〝个〟は、動量詞として使う、〝喝个茶〟hē ge chá なんていう場合の用法です。お茶を「一個」じゃない。〝找个地方喝个茶吧。〟Zhǎo ge dìfang hē ge chá ba.（どこか場所を探してお茶でも飲みましょう）みたいに動詞と目的語の間に〝个〟が入る用法です。当時の日本の中国語辞典は説明が欠けている。呂叔湘[47]は、〝个〟が量詞の範囲を逸脱して広く使われるとして、宋元明以来の白話から、語録なんかで例を出しているけど、そのまま現代語の説明にはならないから、調べてみたんです。

47　呂叔湘…（一九〇四〜一九九八）国立東南大学（現南京大学）卒業。中学の英語教師からイギリスに留学。新中国成立後、清華大学教授、一九五二年から中国科学院言語研究所研究員、一九六三年から一九八二年まで所長。現代中国語の文法研究では、すでに四十年代に、王力の業績に並ぶ『中国文法要略』を著しているが、現代語だけでなく歴史文法にも多数の論著がある。英語との対比による、啓蒙的な論著も多い。『現代漢語八百詞』は、外国人の中国語学習を意識した「文法書」（日本語訳本の自序）と言える。『語法修辞講話』（朱徳熙との共著）、『漢語語法分析問題』、『語文常談』などは名著。

他にも、長谷川先生を責めるわけじゃないんだけど、たとえば、形容詞が〝一点儿〟yìdiǎnr や〝有点儿〟yǒudiǎnr と結んだ場合、その違いについて長谷川先生の授業できちんと説明を受けたことは無かった、と思います。私が後に、その差異を、何かに書いたものをご覧になった、当時は大阪市立大学の望月八十吉[48]さんが「〝一点儿〟と〝有点儿〟の違いをちゃんと書いている」って、そのころ取り上げてくださったことがある。いまでこそ〝一点儿〟と〝有点儿〟の違いは初学者でも辞書でわかるし、教科書にも文法の説明があるけど、私のころは、習うより慣れろ、の時代だったから。

朱徳熙先生に尋ねたこと

輿水　私は、そういう、日常よく使うけれど十分な説明がないとか、説明できないでいる言葉について調べたい。答えがなかなか得られないものもある。北京大学に研究留学して、一九七八年九月から一年と少し、翌年十月に帰国した。朱徳熙先生に時々お会いすると、先生が何か質問があるかって尋ねてくださるので、日本で抱えていた、日常的な語句や表現で、われわれ外国人にわかりにくい問題を話すと、朱徳熙先生からは、その場で答えをもらえないことが多かった。だけど朱徳熙先生は、その後、私の質問したテーマで論文を書いている例もあるんです。そのころ陸倹明先生[49]には年中会っていたし、その後も会う機会が多いけど、陸さんも私に、何かもっと問題はないかって、聞くことがある。陸さんの論文にも、私の出した質問が引き金になった、と思われる論文があるようです。日本人が、中国語に感じている、その問題点は、ネイティブにとってはごく日常的すぎて、説明しにくい問題でもあるんです。私は平生、中国人の前で研究発表する時、正面から中国語に向きあっては、ネイティブにかなうはずもないから、日本語と中国語を対照してみるとか、日本人の学生がこういう点に困難を感じるとか、なるべくそういう話をすることにしています。それなら絶対負けませんからね。そうすると、その話の中で、中国の先生方も、自分たちが考えもしなかった問題や視角に気づくん

48　望月八十吉…（一九二一～二〇〇七）東京外国語大学卒業。大阪市立大学教授、一九八三年に北九州大学大学院設置にともない同大学教授。一九六七年から日本で初めてのテレビ中国語講座講師を担当するも、テキストをめぐって紛糾（本書八十六ページ参照）。現代中国語文法の研究成果として、著書『中国語学習のポイント』（共著、光生館）、『中国語と日本語』（光生館）、『現代中国語の諸問題』（好文出版）のほか、論文多数。

49　陸倹明…（一九三五～）北京大学中文系漢語専業卒業後、母校で教職に就き、中文系教授として、現代中国語文法研究に専心、自他ともに朱徳熙先生の衣鉢を継ぐ言語学者として知られる。世界各国でも頻繁に講演講義、研究活動に従事し、日本では姫路獨協大学に客員教授として一年間滞在した。外国人に対する中国語教育にも造詣が深く、世界漢語教学学会会長として、国際中国語教育シンポジウムの運営にも当たった。執筆論文は多数。著書『八十年代中国語法研究』、『現代漢語語法研究教程』など。夫人の馬真も北京大学中文系教授、現代中国語の文法研究で、特に虚詞研究に詳しい。

だと思うんです。

朱徳熙先生に尋ねた問題の一例ですが、初級で学ぶ、肯定＋否定の組み立ての疑問文で、たとえば〝是不是〟shì bu shì とか〝去不去〟qù bu qù とかだけど、肯定と否定の間に目的語を置くか、否定の後に置くか、二通り言えますね。倉石先生は『ローマ字中国語 語法』(岩波書店、一九六九年）という著書で、〝是铅笔不是〟shì qiānbǐ bú shì と〝是不是铅笔〟shì bu shì qiānbǐ という例で差異を説明しています。でもその説明は、それぞれ、こういう感じの言い回し、といった説明で、どうも納得がいかないんです。他に、〝是铅笔不是〟は北京語だとか、方言の問題として説明する人もいます。趙元任は、前者をオープンタイプ、後者をクローズタイプと名づけ、後者は南方に多いと言っている。それで、朱徳熙先生に倉石先生の説明も話して、その問題を尋ねたら、少し考えてから、わからないって言ったんです。しかし、後に、その二種類の疑問文について、朱先生は自分の学生たちが出身地の方言でどちらを使うか、どういう来源か、など調べて、その系統を説明した論文を発表されました。「汉语方言里的两种反复问句」(『中国語文』一九八五年第一期）です。この論文が引き金で議論が進み、一九九一年第五期の『中国語文』には、朱徳熙先生の「〝V-neg-Vo〟与〝Vo-neg-V〟两种反复问句在汉语方言里的分布」が掲載されました。これは、私の質問がきっかけになっている、と自負しています。私もお答えをいただいた思いで論文を書きました（『中国語学』二四七号「反復疑問文をめぐって」）。ネイティブは日常気づかず使っていて、言われてみて初めて、自分たちは使い分けているか、いないか、気づくのです。〝去北京不去〟qù Běijīng bú qù よりも、いまは南方式に〝去不去北京〟qù bu qù Běijīng が多いですね。

実は、助動詞の場合だと、たとえば〝会不会〜〟huì bu huì の場合は〝会说不会〟huì shuō bú huì なんて言わないんですよ。〝会不会说〟（話せますか）しかない。〝能不能去〟néng bu néng qù とは言うけど〝能去不能〟néng qù bù néng とは言わないんです。私は中国で出たテキスト類を見て、助動詞については中間に動詞を置く例は無いことを発見していたんですが、何か裏付けがないかと調べたら、陸志韋の『汉语的构词法』（科学出版社、一九五七年）に、助動詞の場合、オープンタイプは、北京では当時の老人たちが若かったころには使っていたが、いまは使わないと書いてあります。肯定＋否定の疑問文で、助動詞の場合だと、それで中間に動詞を置く組み立てが、教科書類には出現しないんですね。ただし、〝会中文不会〟huì Zhōngwén bú huì は成立します。「中国語出来ますか」、この〝会〟は助動詞ではなく、動詞ですからね。

語法や語彙に関してあれこれ気づいても、私は長い間、とにかく時間が無くて論文にまとめられず、残念に思っていました。私の場合、同世代で中国語を専攻した人間が限られていたから、あちこちから、中国語にかかわる、いろんなことを頼まれて、気づきがあっても論文を書けない時期があったんですね。学校の校務があり、テレビ・ラジオの講座をやって、その他いろいろ、ルーティンワーク以外にも忙しかったんです。私はいつも睡眠不足、同僚みんなで飲みに行ったりすると、この人はすぐ眠ってしまうって、いつも言われていました。

東大中文に進学して

輿水　倉石先生がしじゅう話されたことですが、言葉は音声です。だから、聞き取れなきゃ意味ない。古典の文章だって、中国人が口にしたら聞き取れなければなりません。よく、会話がどうしたらうまくなるかって聞かれますが、まず耳を鍛え、ひたすら語彙を増やすことです。耳から入らなければ、しゃべれない。教室で会話体の文が並ぶ教科書をいくら読んだってしゃべれない。それに語彙を増やさなきゃしゃべれない。外語大で教えを受けた清水先生、田中先生、鐘ヶ江先生、長谷川先生、みんな暗記や聞き取り中心で、当時の卒業生がひどい授業だった、と言うけれど、暗記する、耳を慣らすっていう学習法は、どんな国で、どんな外国語をやろうとも、効率の高い方法で、大事なことだと思います。一九九〇年代の初め、欧米諸国の中国語教育を見て歩いたんだけど、カリフォルニア大学のバークレー校で授業参観させてもらった時、白人の先生だったけど、私と同じように外国人教員による中国語訳の授業で、学生に練習問題の答えを板書させるのに、ノートを持って行って写すことを禁じていた。学生は答えを暗記していなければならない。長谷川先生も私もノートを見ながら板書させていたんで、こういう暗記のさせ方に初めて気づいたことでした。私が学生のころは貧しい時代、ネイティブに恵まれ、機器を縦横に駆使できる現在とはかけ離れた時代でしたから、単純な作業を反復させるしか、方法が無かったんでしょう。

私が教員になったころから、世の中も少しずつ豊かになって来ましたが、専門学校時代の旧外語から脱皮して、一九四九年に新制大学として発足後、当時やっと十年を越えて、ようやく外国語大学としての基盤を固め、大学院設置やＡＡ（アジア・アフリカ）言語文化研究所の附置など、外語大が充実して来ました。象徴的だった出来事は、外国語は実学だから、という意見が審議会に出て、大学院の設置が遅れ、一九六六年にやっと修士課程が出来たものの、博士課程の認可では外国語学研究科という看板が消えてしまったことです。その理由は他にもあるにせよ、外国語そのものを大学なり、大学院で教授し、研究する、という場合、実学である現実を踏まえつつ、その体制や運営、そしてカリキュラム編成には、諸外国の外国語大学でもいろいろ腐心しているようです。

私は、外語大の教員になってから、微力ながら、自分の体験を基に、出来るだけ改革を図ったつもりです。その際には、外語大から東大に進学した体験を活かすようにしました。さっき話したように、外語大だって文学作品を教材に使い、古典も読んでいるんですが、文学として、古典として、取り上げているんじゃない。だから、受講者は、先生の読み上げる教材を書き取ったら、まず字引で、字句の読み、字音を書き込むことに精力を使う。指名されて読まされた時の自衛に、正確に音読できるように。字引をひくと、それだけで何やら勉強が終わった気になりがちで、そこからが学習の始まりであることを怠ってしまう。外語大の教室の作業としては、一応それで完結するけど、文学作品を読む、古典を読む、という訓練は、私は、進学して初めて知りました。いきなり大学院に入らないでよかったと思いました。

倉石先生の退官後、東大中文では、現代文学の小野忍先生が主任、語学は藤堂明保先生。古典は前野直彬[50]先生が新たに着任されたところだった。小野先生は文学なので、文学史をはじめ、外語大では開設されていない講義を聴くことができた。お住まいが近くだったから、卒業後にもお宅にお邪魔することがあった。前野先生の授業は、古典の読み方、調べ方を外語大では全くやらなかったので、すべてに新鮮味が感じられるほどだった。特に、唐詩をはじめ、詩を教材にした授業は初めて。杜牧の詩を読む授業で、詩の読み方を知ることができた。古典の専門研究者の学識や学風にも感銘を受けたものでした。その先生が、十人足らずの授業だったけど、コンパの時に、こんな授業やったって駄目なんだよ、中国の古典の勉強は私塾でやらなければ駄目、と言われたんです。一同、「先生、塾やってください」って、その場でお願いをしました。先生のお宅で毎週、曜日を決めて、夜間の私塾が開かれた。『史記』『漢書』やら、『閲微草堂筆記』やら、時代を越えジャンルを越え、授業とは別に、前野先生の講読指導が続いた。次第に前野塾と呼ぶようになった。夏休みは伊豆で合宿もした。ずっと続いて、外語大に勤めてからも通ったけど、途中で辞めた。メンバーも変わって来ていました。古典の領域で多種多様な作品の輪読に加わり、個人指導に近い教えを受け、ありがたいことだったと心から感謝しています。ただ、前野先生は残念なことに、国交が回復してから外務省の特別研究員として、北京の日本大使館に出向され、帰国後、体調を崩して半身不随、言語障害となり、講義が出来なくなってし

50　前野直彬…（一九二〇～一九九八）中国文学の研究者、東京大学教授。東京帝国大学卒業、京都帝国大学大学院修了。名古屋大学、東京教育大学を経て、一九五八年東京大学に移る。漢詩の研究と注解に関し論著多数。著書『漢文入門』（講談社）、『春草考』（秋山書店）。

まったんです。

藤堂先生は語学だから、日常的にも、卒業論文のことでも、指導を受けました。外語大の教員になってからも、大学院の『説文通訓定声』の演習に出席させていただきました。大学院に入ったところで、外語大の助手になり、「もっと、鍛えなければ」と言ってくださったものだから。藤堂先生は、学部では中国語音韻論をはじめ、先生ご自身の研究を熱く語る講義だった。百十分間の講義なので、途中で一休みするのが常だった。また、陸志韋の『北京话单音词词汇』を教材にした授業も受けたけど、面白かったのは、例文に麻雀用語が使われていると、先生は麻雀ご存じなくて珍妙な日本語に訳すことがあって、そんな時は遊んでいる学生の出番になった。原本の著者である陸志韋が麻雀大好きだったんだと、後年、北京の言語研究所で聞きました。学生は、中文なんかは五、六人しかいないんですよ。受講者の中に、前の全学連書記長がいたんだけど、安保闘争の前ですね。ある時、藤堂先生が古典の試験問題に、『史記』の文章かなんかを持って来てね、この試験は全部漢文としてやるようにって指示したんです。漢文もできたほうがいいからってね。中国文学科は古典を、ふつう中国語として、つまり中国語の字音で読むんですが、中国哲学科はみんな漢文訓読です。『毛主席語録』でも漢文で読めるそうですから。読めるけど、理解はできるのかしら。その日、藤堂先生が突然指示をしたので、全学連前書記長が猛反対、中国語で読むのでなければ試験を受けないってね。そしたら、先生が折れてくれたんです。私も、内心、困ったと思っていたから、助かった。

中国語と漢文

輿水　私はね、実は漢文を教わったことがない。なぜかというと、私が高校の時は占領下でね、アメリカ軍の命令で漢文は復古的なものとされ、国語の古典の分野にこっそり入っている程度で、読み下したものしかない。選択科目として、音楽、美術、漢文、その中から選んで履修する仕組みだった。音楽と並んでいるんです。私は高校では音楽を選んだから、漢文は全くやったことないんです。それで石川忠久[51]さんと私が対談することになった。漢文を先に学んで、その後に中国語を学んだ石川さんと、漢文を学校で履修したことがないまま、中国語を学んだ輿水の対談が『「訓読漢文」と「中国語」』という対談記録になって、「古典読解の方向を

51　石川忠久…（一九三二〜）東京大学文学部卒業、東京大学大学院博士課程満期。櫻美林大学教授を経て、二松学舎大学教授、理事長、学長を務める。二〇〇三年退職。漢詩に関する著作多数。『漢詩鑑賞事典』（講談社）、『漢詩の稽古』（大修館書店）など。ＮＨＫテレビ「漢詩紀行」を監修。全国漢文教育学会会長、全日本漢詩連盟会長など歴任。

探る」という副題で、『漢文教室』一一一号（一九七四年十一月）に掲載されたんです。漢文やったことない人とはどんな人間なのか、ということです。藤堂先生は、やはり私のような、漢文をきちんと学んでいない世代に対する危惧を感じたんでしょうか。日本人が中国語を学ぶのですから、漢文の素養は欠かせない、と思います。外語大の田中清一郎先生も、中国語専攻で漢文の授業を設けたい意向を漏らしたことがありました。後年、私は東京教育大学文学部で漢学を専攻され、大学院で中国古典学を修められた高橋均[52]先生を外語大の専任に招聘しました。高橋先生は多年、中国語友の会で月刊『中国語』誌を編集されていて、早くに松山バレエ団訪中の通訳もされ、中国語はもちろん、漢文ご専門で中国の古典に詳しく、私の考える中国語教育に必須の先生でした。

東大文学部の非常勤講師で、一般の外国語としての中国語を教えていた魚返善雄[53]先生には『趣味の漢文』（一九五六年初版、旺文社）という名著があります。この方も本当に素晴らしい先生。万年非常勤講師でタクシー代にもならない、と自嘲されてましたが、後に東洋大学の専任になった。先生は東亜同文書院を出て、当時の中国語教員試験に受かった方で、本当に語学の天才。魚返先生はスウェーデンの中国学者カールグレン（高本漢）の翻訳をはじめ、言語学の領域でも研究を進められて、研究社の『世界言語概説』では中国語を担当している。この本では表題がシナ語となっていますが、監修者である服部四郎[54]先生が、魚返先生は中国語と記してくれと言ったけれど、あえて監修者がシナ語とした、と注釈が添えてある。中国の留学生かなにかが、戦時中の日本の中国語教科書を調べて、魚返先生を戦犯みたいに、戦争語学のなんの、と書いているのをネットで見たけれど、とんでもないです。中国語を、きちんと言語学の立場から見ている。戦争末期に魚返先生が出された参考書に、六角恒廣[55]さんは、「時局便乗のキワモノ的なものとちがって、真面目な中国語の本といえる」と評価しています。魚返先生

52　高橋均…（一九三六〜）東京教育大学卒業、同大学大学院博士課程中退。鹿児島大学から、一九七四年東京外国語大学に移る。一九八一年に教授。中国古典学の研究者。『論語』の書誌学的研究で多くの業績がある。主著『論語義疏の研究』、『経典釈文論語音義の研究』（いずれも創文社）。現代中国語にも精通し、中国語友の会運営および月刊『中国語』誌の編集に従事、著書に『中国語解釈の基礎』（大修館書店）がある。一九九八年定年退官後、大妻女子大学短期大学部教授。

53　魚返善雄…（一九一〇〜一九六六）上海の東亜同文書院中退。文部省の教員検定試験（中国語、英語）に合格。一九三九年から東京大学文学部非常勤講師を二十七年間務める。東洋大学教授。言語学の研究書から中国語学、文学に関する著書、翻訳多数。著作には童話の本まで含まれ、多才かつ多彩な研究者であった。『言語と文体』（紀伊國屋書店）は文体論の、『趣味の漢文』（旺文社）は漢文の入門書として名著。他に『外来語小辞典』（三省堂）。

54　服部四郎…（一九〇八〜一九九五）言語学者。東京帝国大学文学部卒業。一九三三年から三年間、旧満州北部ハイラルなどでアルタイ諸語の調査研究。一九三六年から東京大学で講師、一九四九年に教授。著書は論文集のほか、『日本語の系統』（岩波書店）など。

55　六角恒廣…（一九一九〜二〇〇三）明治期以後の、日本の中国語教育史を研究。早稲田大学卒業。早稲田大学教授。著書『近代日本の中国語教育』（播磨書房）、『中国語教育史の研究』（東方書店）、『中国語書誌』（不二出版）。

の授業は私にとって非常に示唆に富む内容でした。

魚返先生のエピソードを書いたことがあるんだけれど、私が外語大に勤めるようになってから、ある時、私はまだ二十代で、運転免許を取ろうと、自動車教習所に行ったんです。そうしたら魚返先生によく似た人がいたんです。そのころの教習は、学科の中に交通法規以外に、構造というのがあったんです、エンジンの構造とか。その授業でばったり会ったんです。人違いかと思ったけど、魚返先生だった。「先生、免許を取るんですか」「いや、取りません」。どうしてって尋ねたら、「実はいま外来語辞典を作っているんです」と。外来語辞典というのは、カタカナ言葉を集めるわけだけど、日本でカタカナ言葉が多いのは、料理と洋裁と自動車だとのこと。「実は、料理は帝国ホテルで新人を養成する学校に通って、実技はしないけど、ずっとノートを取った。洋裁は中野の洋裁学校に行って、縫い物はしないけど、もう調べた。あとは自動車関係で、家から一番近い自動車学校に来た。実技はいりませんと言ったら教習所の人が驚いた。実技をやらない人が来たって。構造の講義を十時間だけ聴けばいい。ハンドルをステアリングと言うんだって。ステアリングでは一般の人はわからないから、そういう言葉を知りたい」と話してくださった。その後亡くなられて、その外来語辞典は出てないと思います。それ以前に三省堂で外来語辞典が出ているから、さらに詳しく説明する準備だったのかも。

魚返先生の『趣味の漢文』は新書判ですが、漢文未習の人にも、初学者にも、教授者や専門家にも面白く読めて、初歩的な読み方から高級な理論まで身につけられると、はしがきにご自身で書かれています。漢文嫌いの人でも興味をかきたてられる名著です。現代教養文庫の『漢文入門』(一九六六年)も多くの版を重ね、数多くの読者を獲得したそうですね。語弊があるけど、漢文の先生ではなく、中国語の先生が書いていることも関係している、と思います。

私は、会話体の文章だけ並んだ、話し言葉の中国語テキストばかりでなく、書き言葉のテキストが必要と、主張しているんだけど、書き言葉となれば、日本人には漢文の知識がかかわってくる。書き言葉と話し言葉について、魚返先生は両方やるべきだって話していました。いま、日本の中国語教育では書き言葉を特段教えていないけれど、私のころは、外語大では清水先生のやっていた時文が、こまぎれだけど、いまなら新聞の文章なんですね。私はいわば過渡期の学生で、いろいろ詰め込まれてよかった面もあった。私は後年、北京語言学院から招聘した施光亨先生にお願いして、新聞の文体で書き言葉の習得を目指す『キイ・フレーズで学ぶ新聞中国語』(東方書店、一九九二年)というテキストを、私の監修で作りました。書き言葉は、日常生活では、新聞の文章や、掲示の文章もそうなんだけど、電車の中のアナウンスだってみんな原稿を読んでいるんだから、書き言葉なんです。ロンドン大学の東洋アフリカ研究学院(S

ＯＡＳ）を見学した時、そういう言葉を教えていた。中国人の先生に聞いたら、中国に行って買い物した時、商品に添付の使用説明書が、みんな書き言葉で書いてある。学生から読めませんって言われたそうです。私は以前、中国人の先生に協力してもらって、会話から入って読解に進む、話し言葉と書き言葉の対比も学べるテキストを作りました。ある一課では、秋葉原で電気器具を買い、店員とのやり取りと、帰宅後の日記、あるいは故郷の両親に報告する手紙を書いて、対比をする。初級からのシリーズにしたかったけど、このようなテキストを使う場も人も無いようで、それっきりとなりました。日本人は、中国語の書き言葉がなんとなくわかると思っているからね。皮肉ですけど、漢文の素養があるから。

水世嫦先生の個人教授

輿水　学生時代に、学校以外の中国語講習会に行く人もいたようです。倉石中国語講習会が東方学会ビルでやっていたころで、見学自由だからと、同級生に誘われ、もぐりで一回だけ行ったことがある。だけど私は学校のことで頭がいっぱい、とにかく暗記するのに苦労してたから。それっきりで、結局、外部の講習会には行かずじまいだった。二年生になったころかな、同級生の一人が以前から湯島聖堂の中国語講習会に通っていて、水世嫦という女性の先生の個人教授を受けることにしたからと、シェアを頼まれた。月謝を二人で分担としたかったんだと思う。他の人にも声をかけていたから。水先生は本当に不運でね、ずっと専任が無くて、そのころお茶の水女子大と慶應と都立大、あと中大も、あちこち行っていた、講習会も。非常勤講師ばっかりやっていた。住まいは東大正門のすぐ前で、毎週一回、二人で行った。北京のご出身で、一九四四年に燕京大学教育系のご卒業。テキストには老舎の作品を使いました。中国では一般的だけど日本では欠けている〝复述〟fùshù（自分の言葉に言い換えて話す、外国語練習法）っていう方式で。これは教材の本の、一頁なり、一区切りなり、ある程度の範囲を音読すると、先生が発音や読み方を直してくれて、語句の説明がある。それから次に、その段落にどんなことが述べられていたのか、何が書いてあったのか、こちらが自分の言葉でお話しするんです。これ中国ではよく用いられるけど、日本ではあまりやらないね。かなり緊張するけれど、二人だから余裕がありました。かれが先にやったら、その次を私がやるんだから、その先を見ておけばいいんです。まあ一時間だから二人がそれぞれ一回ずつやるだけで終わるんです。ただ前後に、次々に個人教授を受ける人が来るから、あまり自由会話というか、雑談はできなかった。

私は『東方』三二二号（二〇〇七年十二月）に水先生の『生活與会話』（東方書店復刻）と

いう著書の書評を書いたんですが、先生の母上は、清末の張之洞[56]という洋務派[57]の政治家の娘の娘だそうです。共産党は嫌い、ご主人の高さんは金融関係か何か上海でやっていたようで、やはり共産党が嫌い。姉上の水世芳さんが、高名な中国学者でもある駐日オランダ大使の夫人だったので、日本に住まわれたんです。後年、櫻美林大学の専任教員になりました。当時は東大のすぐそばにお住いのこともあって、東大の学生もよく通ってました。私は、その後もずっと、同級生の卒業後も、外語大に勤めてからも数年、一人で通いました。学生のころは、外語大唯一の中国人教師は七十代。質問したくても、一つだけ、なんて制限まであった。水先生には、テキスト以外に辞書でわからなかった語句を持って行っては、いつも教えていただいたけど、ある時、まだ学生時代でしたが、大変失礼な質問をしてしまった思い出があります。読みさしの小説を出して〝操!〟Cào! の意味を尋ねた途端、先生は顔を真っ赤に染めて無言。それで、口に出来ない罵語と気がついた。水先生は当時三十代、しかも気品の感じられる、北京の言葉を話す先生は貴重な存在でした。後年、中国語の教育者、研究者になった方で、当時、水先生の教えを受けた人は少なくありません。週一回でも先生の、気品ある、きれいな北京語の発音を聞く機会が、定期的にあったことは、私にとってありがたいことでした。耳っていうのは、ふだんからそうやって聞いていないと駄目なんですね。口幅ったいんだけど、つい先週も、私は北京に四日ほど行ったんですが、東京で予約しておいた自動車に乗ったら、中国人の運転手が「いつ日本に行ったんだ」って聞くんです。日本人だと答えたら、「中国語はどうやって覚えたんだ」と言うので、大学に入ってから学んだと答えたら、「福原愛ちゃんは中国語がうまいけど、あれは東北訛りだから」と言っていました。ひいき目に言えば、訛りがないって言われたようで、まったく、水先生のおかげです。

当時、中国語教育の現場では、戦中、戦前から日本に住んでいた方しか、ネイティブがいないので、外語大の場合、一九五八年の包老師逝去後も、定年間近の教師や講師ばかりでした。若返りは一九七〇年代になります。高齢者のネイティブの先生方は、一字一字の字音を明瞭に発音して、お手本とする傾向があって、たとえば三声ですが、自然な発音なら〝好〟hǎo の後に続く語が何もなく、単用の場合でも、自然な流れでは半三声的というか、再びはっきりとは上昇しないのに、ゆっくりと声調記号の通り hǎ~o と発音する。それでは言葉の自然な流れがとらえにくい。日本人の先生も、戦争終結前の中国しか知らないから、率直に言えば、語彙も

56 張之洞…(一八三七~一九〇九)中国の政治家。洋務派官僚。清朝末期に任地武漢で官営工場創設や、ドイツ式陸軍編成など洋務運動を推進、義和団事件後、清朝の重臣となった。

57 洋務派…中国で清朝末期の一八六〇年代から一八九〇年代にかけ、西洋の科学技術を導入し富国強兵を図った洋務運動で、近代化政策は洋務派の漢人官僚によって推進された。

発音も古い。鐘ヶ江先生の授業だと思うけど、一九五四年を〝yī qiān jiŭbǎi wŭshisì nián〟と習った。ところが、私が教員になってからだけど、〝yī jiŭ wŭ sì nián〟って言う、という学生が出てきた。上海で高校までやって来た帰国者とか、だんだんそういう学生が増えてきたんですよ。先生に話すと「いや、そんなことない」ってね。でも五四年は〝wŭsì nián〟でいいらしい、なんてわかって来た。私は教員になっても、耳で聞く機会として、大陸のラジオ放送で、そのころ〝记录新闻〟jìlù xīnwén っていう番組があってね、それを聴取していた。中国では新聞なんか届かない地域の人たちのために中央放送局でニュースをゆっくり読む、それを地方で書き取らせて壁新聞か何かに出す、こういう仕組みの、記録ニュースがあった。教育大の牛島徳次先生が聞き取りのグループを作って、本も出しています。[58] 深夜に聴くラジオは、なぜか青海省なんかの電波がよく聞こえ、現地の天気予報が聞けて、数日後の日本の天気の予報にもなりました。そんなことで、耳慣らしは心がけていました。

テレビ中国語講座の経験

輿水　耳からの聞き取りは、意外なことにも役立ちます。テレビの中国語講座を目で見ないで、イヤホンを使って耳で聞くだけにすると、テレビは収録するスタジオが大きいから、音声を必ずしもきちんと拾っていないことがあります。スタジオの余計な物音も聞こえることがある。ラジオはきちんと音声を拾っている。テレビをイヤホンで聞いてみると面白いんです。私はテレビ講座の講師をやって経験したんですが、言葉をちょっと削られても、スピーカーから聞いているのでは、その痕跡はよくわからないんです。

テレビ講座をやったおかげで、知ったことだけど、たとえば、タブーになっている、放送では使ってはいけない言葉があるんです。私は当時、大修館書店の月刊誌『言語』にでも頼んで、言葉を制約してテレビの外国語講座が成り立つかって、書きたいほど反発した。いまでも書きたいくらい。言葉の制約があっては放送講座で言葉を教えられない。コマーシャルにつながる商品名は一切使えない。セロテープは駄目、ポリバケツは駄目。生活用語が使えないんですよ。ブーメランが駄目っていうのはまだわかるけど、会社名だから。だけどポリバケツの言い換えができますか。

58　『「北京放送」聞き取りの基礎』…牛島徳次監修、漢語研究会編、龍渓書舎、一九七三年発行。本書は、東京教育大学牛島徳次教授の研究室で行われていた課外の学習会の成果をまとめたもので、北京の中央放送局の記録ニュースを聴取し聞き取りの学習に活用するため、実際の放送形式、学習方法、注釈の方法と参考資料で構成。

私がしくじった、商品名以外の例もあります。あるとき、ピンインで〝yu〟の〝ü〟の発音の説明で、「イ」と「ウ」の、「あいのこ」の音って、言っちゃったんです、本番の収録で。そうしたら、「あいのこ」は差別用語です、と言われた。でも、その部分の撮り直しなどしてくれません。もしも技術スタッフの、照明の不具合で影が出たなんてなれば、かれらの責任だから絶対やり直します。講師の言い違いはどうなるのかと案じていたら、「消しときますから」って言う。放送日に家で視聴したら、その部分は「うん」とも「すん」とも、音が残らず、「あいのこ」はきれいに消えていました。違和感なく、前後がつながって、全然わからなかった。録音して、イヤホンでもくりかえし聞いたけど、この時ばかりは、きれいに消えていました。スタジオのざわざわした音は聞こえたけれど。

放送禁止の言葉は厄介でね。ある時、教材に使っている物語の説明で、継母（ままはは）という言葉を使った。そうしたら差別用語だから使用禁止、言い換えるように、と言われたんです。私は、民放テレビのドラマなんかで、継母っていくらでも使っていたと思うんです。だから、説明に使いました。ところがカメラリハーサル、業界用語でカメリハ、の時になって、考査室とやらのお目付け役がスタジオに来て、「本番では使わないように」と言われた。継母ってふだん使っているし、差別用語でもないと思うんですが、それでは、なんと言い換えるんですか、と尋ねたら、義母って言え、と言われた。だけど義母は継母と意味が違うでしょ。義母は話し言葉じゃないしね。そんなことで言い争うこともありました。ついでに、こんなことも、よく起こりました。日中交流で、ＮＨＫにも中国からの客人の見学が多くなり、中国語講座の収録日に、お偉方がスタジオに客人を連れて来る。リハーサルを見学して、字幕に使うフリップの漢字が間違っている、と言い出したりする。そうすると、お偉方が、中国の方が言うんだからすぐ直せ、なんて指示することがある。実は、中国人が間違っているんですよ、簡体字を知らないから。客人は年配者が多いから、いまの中国で、学校でも教えている簡体字がわかっていないだけ。そんな苦労もありました。

私が初めてテレビ講座を担当したころは、教育テレビはカラー放送ではなくて、モノクロだった。次第にスキットと称する寸劇を教材にするようになると、中国人のゲストに簡単なお芝居をしてもらう。中国人でプロの俳優などいなかったし、そもそも中国人のゲストが揃わず、帰国者が中国人に扮して、という時期もあった。一九七〇年代といえば、あちらでは、まだいわゆる人民服の時代でした。寸劇の収録にも立ち会ったけど、にわか俳優の素人だから、カメラさんから、手足の動きにきつい注文が飛んだり、私にまで、「この辺で一言欲しいね」などと、せりふの変更や追加を求められる場合もありました。素人の哀しさ、でしたね。私が北京大学に長期滞在していた一九七九年春に初めての現地ロケが実現し、その後、中国の放送局から女性アナウンサーが模範朗読の担当者として来日するまでになったんです。一つ裏話ですが、中国はラジオとテレビが別個の放送局なのに、ラジオ局に委嘱するものだから、必ずしもテレビ向きの方が派遣されず、関係者のぐちを聞いたことがあります。テレビは苦労はあったけれど、私にとって、中国人のゲストたちと一緒に、一日に二回分制作する、その収録日には一日中、付き合うので、中国人の考え方などにもふれられて、勉強になりました。

思えば、私の世代で中国語を専攻した人間は限られていたので、頼まれるままに、中国語にかかわる、いろいろな経験をすることができました。テレビやラジオに出演するなんて、思いもしていなかった。でも、中学生のころ、アナウンサーになろうかと考えたことが実現したような感じでもありました。外語大で同級生の田所竹彦さんが、朝日新聞入社試験の面接で、中国語をやったと言ったら、「じゃあ、共産党ですね」って、言われたそうです。挑発的な物言いですが、共産党って差別用語なんですね。当時はアカなんて言われた時代でした。それが、一九六〇年代に入ると徐々に、「中国語ですか、いいものやりましたね」って言われるようになり、中国語に対する需要が増え、就職先も多くなりました。そのころ、田中清一郎先生は、入学して来る学生が、このごろ変わって来た、と話されることがありました。

世の中の変わり目には､変わった経験もしました｡中国の地名､人名のカタカナ表記問題です｡あのころ、大問題になってね。韓国、朝鮮の地名、人名を現地音で記さないといけないって裁判所の判決が出て、マスコミでは中国についても、これは大変とばかり、カナ表記に取り組みだしたんです。よく考えたら中国では東京はトウキョウではなくて、トンチン〝Dōngjīng〟って、中国の字音で言ってるんだから、あちらがトウキョウって言わない限り、直す必要がない、お互い様なんだから。でも、新聞社やテレビ局が一斉にカタカナ表記のコード表みたいなものを作ったんです、各社ばらばらに。私はテレビの縁があるから、NHKに依頼されました。例の中国語音節表に並ぶ四百余りの音節にカナをふったコード表を作成するんです。NHKの場合は、作成されたカナ表記で、実際にアナウンサーが読めるかどうかっていう問題がありました。正確にあらわそうと思って「チウ」ではなくて「チィウ」って書いたら、アナウンサーに読ませて区別がなかったとかね。あまり精密にすることも出来ないんだけど、nとngの区別、無気音と有気音の区別はどうするか。苦労しました。アナウンサーが大丈夫でも、テレビの字幕には一行十数文字しか入らないんで、字数の問題とかね。自分なりに、私の成果として出来上がったけれど、陽の目は見なかった。しばらく前に『東方』誌に中国語のカナ表記に関して議論が載ったけど、昔の苦労話は無関係のようで、ちょっと残念でした。

テレビ中国語講座出講に至るまで

輿水　テレビ中国語講座のことでは、藤堂先生は本当にお気の毒でした。火中の栗を拾うようなことになって。NHKの中国語講座は、テレビでは一九六七年に京都放送局で始まったんです。これ自体が、やっぱりNHKの深謀遠慮かな、東京でやらないで京都でね。ラジオも戦前大阪でやっていたんですね。講師は望月八十吉さんと相浦杲[59]さん。毎週三回、毎回三十分だった。四年目の一九七〇年の夏になって、テキストの原稿にある北京の地名や建造物名、文芸作品名などにチェックが入り、実在の名称を架空の名称に変えるように、NHKが望月さんに求めたことに端を発して、論議が起こったんです。両者の話し合いで、一部書き換えとなったのですが、NHK側の説明に、NHKの立場があって書き換えを求めたとの理由が述べられ、NHKの中国あるいは中国語に対する考え方に偏見があるのではないか、との指摘がされ、当事者だけでなく、関連する学会や、民間の中国語学習者組織にまで、議論や糾弾の嵐が巻き起こりました。折しも一九六八年には、もともと霞山会[60]が肩入れして、中国語検定協会を設立し、検定試験を実施するという話が起こり、はじめ中国語学の学会も協力体制で臨んだことから、学会内でも批判が出たり、また、ちょうど民間団体の中国語学習運動が活発に展開された時期にもあたりました。おまけに一九六八年から翌年にかけては大学紛争が燃え盛っていました。ちなみに、一九六九年秋の中国語学研究会全国大会は大学紛争で中止されました。テレビ講座も、以前から続いているラジオ講座も、それまで、このような特段の問題は発生していません。ラジオ講座では北京の実在の地名を出しているんです。中国語学の学会である中国語学研究会の学会誌に、通常なら見られないような、激しいやり取りが載りましたが、講師のお二人の間に思想的な立場の違いがあったことも一因です。

ＮＨＫはこの書き換え問題で嫌気がさしたものか、一九七一年からテレビ講座を東京に移すことにしたんです。それで、私に講師を引き受けるよう打診がありました。何回かＮＨＫ側と話をしたら、要するに問題が起こるのはいやだから、という考えが先行。話の相手は中国語担当者だけど、実は嘱託の人、嘱託って旧職員ですね。責任者としては、主管という役職の専任

59　相浦杲…（一九二六〜一九九〇）大阪外国語大学教授。中国近現代文学の研究者。一九六七年から一九七一年までＮＨＫテレビ講座を担当、テキスト書き換え問題の当事者となる。著書『現代の中国文学』（日本放送出版協会）。遺稿集に『中国文学論考』（未来社）、『求索──中国文学語学』（未来社）。

60　霞山会…日清戦争後の一八九八年に設立された東亜同文会は、戦前の上海同文書院を経営した母体であるが、戦後それを引き継いで、一九四八年に霞山会が設立された。霞山会は一九六七年に中国語学校として東亜学院を設立、中国語検定試験の企画を具体化して、中国語検定協会を設立し、検定試験実施を図り、当時混乱が生じた。

者のいることが後でわかった。京都発といい、嘱託といい、みんなそんな態勢で、なんか無責任、私のうがった見方かも知れないけど。当時は日中の国交正常化が見えてきたころですから、政治的には微妙な段階でした。外語大なんかには怪文書が届くんです。「中共と、もしも国交回復すると、美人の先生を送り込んで来て、日本の大学で政治教育、共産主義教育をすることになる」みたいな文面でした。嘱託の方との話し合いで、テキストの筋書きまで聞かされたんだけど、日光や箱根を中国人が遊覧するストーリーで書いてほしいって言われたんです。昨今の中国人の観光ブームならともかく、当時はこちらが中国に行くんです。日本の中国語教育は、一部の大学を除いて、国交がなくても、ずっと大陸と向き合ってやって来た。結局、やはり中国の地名を出すな、とつながる話でした。ラジオ講座の講師だった鐘ケ江先生、現に担当中の金丸邦三さんをはじめ、周りで、いい機会だからやりなさいって勧められたけど、テキストのことを考えたら、やりたくなくなった。話し合いのメモを残してあるんですが、北京と台湾のバランスをとって、などなど、妙な注文が並んでいる。そのうち、ある意味では悪かったんですが、局内で専任者であるプロデューサーやディレクターとお会いください、と言われ、出かけて行って、その場で断った。理由は、日本を舞台にするテキストでは気が乗らないからって。そのあとＮＨＫは大慌てしたと思いますが、ふたを開けてみたら、小峰王親[61]さんがお引き受けになっていた。

小峰さんは法政大学の先生ですが、中国に滞在して『毛沢東選集』を日本語に翻訳する仕事をしていた人。ところが、小峰さん作成のテキストには、ピンインが漢字一字ごとに切れているとか、最大の問題点として、二人称の〝你〟nǐが、女性に対しては女偏の字になっていた。この字は旧中国では見られたけど、新中国では使用していない。台湾や、東南アジアの中国語では見ることがある。あれやこれやでクレームがつき、発行済みのテキスト刷り直し、という前代未聞の出来事が生じてしまったんです。改訂版には、ＮＨＫ教育局長名で、巻頭に、ピンインの誤りのおわびとともに、前年度の地名問題のおわびと、今後は実在の地名を使う方針が記されました。この間の主たる調整役は、藤堂先生と香坂順一[62]先生でした。香坂先生には、

61　小峰王親…（一九二〇～一九八七）一九四四年、北京大学卒業。法政大学教授。一九八〇年代初頭から講談社中日辞典を編纂していたが、逝去後は相原茂、長谷川良一氏らによって一九九八年に第一版が刊行された。訳書に郭沫若『日本亡命記』（法政大学）。

62　香坂順一…（一九一五～二〇〇三）東京外国語学校卒業。中国広州の嶺南大学に学ぶ。横浜高等商業、台北高等商業で教職。戦後、大阪市立大学教授、大東文化大学教授、同学長、常務理事を歴任。一九九四年に角川書店刊行の『中国語大辞典』上下二巻には、大東文化大学六十周年記念事業として、編集主幹を務めた。一九七一年後半から一九七八年までＮＨＫテレビ講座講師を担当した。日本中国語検定協会を創立、初代理事長。著書『中国語学の基礎知識』（光生館）、『白話語彙の研究』（光生館）、『〈水滸〉語彙の研究』（光生館）、『〈水滸〉語彙と現代語』（光生館）。以下は共著共編『現代中日辞典』（光生館）、『現代日中辞典』（光生館）、『現代中国語辞典』（光生館）。

当時『二つの中国語』という対話形式の冊子があります。その後、問題はこれだけでは収まらず、半年を経て、九月で小峰さんが講師を降りてしまった。いろいろ言われて嫌気がさしたのかも。実際は何らかの力で、降ろされたも同然です。十月からのテキストには、また教育局長名の、ごあいさつが巻頭に掲げられ、小峰先生がご都合で辞退したこと、新しい講師に藤堂先生をお迎えしたことが記されていました。おそらく誰も引き受け手が無かったのでしょう。藤堂先生は、講師を引き受けたことで、主として民間の中国語学習運動の、一部の活動家から、きつく問い詰められ、つるし上げを食いました。問答の記録が印刷物で残っています。藤堂先生は、テキストのまえがきに、「日中の問題について、私の態度に、なお、あいまいさがあることを人びとに指摘された」「学校を出た後、徴兵によって従軍し、中国人民に深い負いめをせおっている」ので、辞退を申し入れたが、正しい中国語の普及のために引き受けた、と書いていらっしゃる。藤堂先生は一兵卒で、戦争犯罪者呼ばわりされるような立場とは無縁です。先生は、無実の批判を正面から受けとめ、自分が不適格であることに気づいた、とまで記されている。

結局、ＮＨＫは望月さんの、架空の地名問題でおわびをしたんですが、こうしないと当時の大衆運動、民間の中国語学習運動が許さなかったんです。逆の立場で藤堂先生も、運動でつるし上げ同然の、ひどい目にあわされたんです。その後、講師陣には香坂先生、宮田一郎先生[63]が加わり、一九七五年夏には、私が藤堂先生に代わる形で出講することになり、次年度からはレギュラー三人体制となりました。藤堂先生が私のために、出講の環境整備をしてくださったように感じ、心からありがたく思っています。藤堂先生が出講されて、東大中文出身の鈴木英昭さんが、地方局のアナウンサーから中国語講座の担当になり、専任者としてその後のテレビ・ラジオ中国語講座の発展に大いに尽力されましたが、後年、過労死され、残念なことでした。

テレビ・ラジオ講座のテキスト作り

輿水　テレビとラジオの、両方の講座で講師をしましたが、私は、はじめに中国人の先生に依頼して、テキストの中国語の課文を作ってもらうことは絶対にしませんでした。テキスト以外の参考書でも同じです。共著とした本は、中国人に中国語の部分を書いてもらったことがある

63　宮田一郎…（一九二三〜）東亜同文書院大学卒業。大阪市立大学、大東文化大学、福井大学、北陸大学で中国語を教授。一九七四年から一九七九年までNHKテレビ講座講師。著書『上海語常用同音字典』（編著、光生館）、『「海上花列伝」語彙例釈』（汲古書院）、『宮田一郎中国語学論集』（好文出版）、『新華字典第10版日本語版』（編訳、光生館）。

けど、単著の場合は絶対に自分で書きます。多くの場合、NHKは、テキストの課文などの中国語の部分は、はじめから中国人に書いてもらう方式で、そのお金は出しますからって、言われていました。私は逆に、中国人に私の書いた課文を見てもらって、不自然な言い回しが出て来た時、たとえば、これでは意味が二通りになっておかしい、などと言われたら、手直しする、というやり方でやってきました。共著の場合は中国人に書いてもらいますが、その場合でも、テキストを作るのであれば、第一課から課ごとに、全部ちゃんと文法の配分を考えて、いわば進行表を渡す方式。最初の数課は、三文字以内の文で、語彙はいくつ、難しい発音は出さないように、といった設計を示しておかないと、ネイティブは、片言の会話になることを嫌って、ストーリー重視の難しい課文を、第一課から作っちゃうんですよ。テレビやラジオのテキストの場合、自分で全部書き下ろすにしても、設計図にあたる学習項目表とでもいうべき、進行表をまず作成します。私の知る限りでは、多くの講師が、はじめから中国人に課文を書かせていますね。ストーリーが自然で、面白くなるけど、難易度は順序がバラバラ、文法事項が合理的に出現しない。ある時、ディレクターに言われました。テレビでは、子どもを出せば当たるんですよ、と。他の先生の講座では、子どもが活躍するストーリーがありました。でも、私は出来るだけ、酒を飲む、タバコを吸う、といった、大人のしゃべる言葉が対話に出るストーリーを作りたかった。実際、子どもの対話みたいな内容だと、嫌う学生がいるんです。

漢字に感じること

輿水　私が中国語を学び始めた時は、中国はまだ字体が簡略化されていない旧字体でした。たとえば、学会は學會、日本は戦後すぐの一九四六年、すでに当用漢字千八百五十字の範囲で、字体の簡略化が進められていましたが、中国では一九五六年に漢字簡化方案が示され、一九六四年に至って、簡化字総表と印刷通用漢字字形表に、その結果がまとめられたんです。中国語を学ぶ者は、私が初学のころは、漢字は、いわば日本の新字体と旧字体を使い分ければよかったのですが、中国の文字改革の進展にともなって、漢字は、日本の新字体と、中国での新旧双方の字体を知る必要が生じました。大陸での出版物では、ふつう旧字体を使いません。文革のころの話ですが、大陸の本が入手できなくて、香港や台湾の本を教材に選び、学生から、漢字が読めません、とクレームがつきました。見たことのない旧字体だったからです。文革終結までは、毛沢東が、中国は将来、漢字をやめて、ローマ字を使う、と言ったとか、まことしやかに伝えられ、日本でも信奉する向きが存在しました。

倉石先生は、言葉は音声である、という主張の、いわば実践として、『岩波中国語辞典』では、漢和辞典式の、見出しとなる親文字に漢字を立てる方式でなく、漢字を使わずに、語彙をローマ字でつづり、ＡＢＣ順に配列しています。後年、大修館の『中国語』誌に、辞書に関する座談会が掲載され、座談会に出た私が、漢字で書きあらわす中国語の辞書に、語彙がローマ字で並ぶのはいかがなものか、という趣旨の発言をしたところ、二か月後の『中国語』誌に、まだ辞書のことがおわかりになっていない方がいらっしゃる、との書き出しで、倉石先生に「消毒」されてしまいました。私は、ローマ字も文字だ、という考えでした。言葉は音声だとしても、中国語を、漢字を見せず、ローマ字で表記するのは納得がいかなかったんです。ほかにも、丸善のＰＲ誌『学鐙』（一九七二年一月）の編集者から、以前に掲載した辞書紹介が古くなったので新しくしたい、と依頼され、私は同じ視点で、中国語辞書の案内を書いたのですが、その辞書紹介シリーズが単行本にまとまった時、なぜか中国語は以前の古い記述が載っていました。

私は、ローマ字に関して、大げさに言えばショックを受けたことがあります。二十代に、倉石中国語講習会で教えたんですが、夜間で、週三回の初歩クラス。アメリカの John DeFrancis が作った Beginning Chinese という入門書が原本で、中国語はローマ字で記され、漢字は出ないテキストを使う。同じテキストを使用して、先行している別クラスがあって、倉石先生のお考えは、漢字を使わずに中国語を教えるクラスを増設して、成果を確かめたかったのだと思います。私も、ローマ字書きのフラッシュカードなんかを手書きで作って、習った言葉の発音や会話の練習に使ったんです。受講者は社会人が多く、私より年上の方も大勢いました。休み時間に、「ローマ字のカードを見せられて、よくパッとわかるね」と話しかけたら、その受講生に「家に帰ってからローマ字を全部、漢字に直して、漢字で覚えるんですよ」と言われてしまったんです。それ以来、私は、日本人の中国語学習で、漢字を見せない、漢字を出さない、という主張に、疑問を持つようになりました。

漢字を使っている日本人が中国語を学ぶのですから、その有利性を活かしたいものです。ところが、文字としては同じ漢字だけど、字形も、あらわす意味も日中で異なるものが少なくありません。用いられる字種にも差があります。同じ漢字だから同じ用法と思い込んだら、漢字を知っていることが、かえって不利に働きます。中国語の〝走〟は日本語の「走る」ではありませんからね。日中両国の文化交流の方面で活躍されていた方とお会いした時に、「中国語はいいですね。仕事柄、しょっちゅう中国に行きますが、朝、ホテルで新聞を見ると大体わかりますから」と言われたことがあります。困りますね、日本を代表するような知識人が、と思いました。中国語を学ぶ者が、もしもこんな気持ちで学んでいたら、問題です。この方は中国語は未修でした。しかし、このように、中国語を学んだことが無い人でも、日本人は漢字を知っていますから、中国語を目で見て誤解が生じないように、中国語未修の、ふつうの日本人も使える中国語字典があるといいですね。漢和辞典では、その役目を果たせません。中国には、北京出版社から出た『现代日中常用汉字对比词典』（唐磊主编、一九九六年）があって、編者の唐磊さんは私も知っていますが、日本の常用漢字千九百四十五字が、日中でどう違うか、調べられます。私は、いまの中国で使う漢字一つ一つの、日中対照の視点を加えた字典がほしいんです、日本人のための。

作りたい本、作った本

輿水　私は、大修館書店の『中国語』誌に一九七〇年四月から連載の「基本語ノート」で、常用する基本語彙を、できるだけ、同じ漢字を使う日中対照の視点をからめて、記述するように心がけました。連載は、二〇〇四年三月に同誌が休刊するまで、一回も休まず続けました（一九九〇年から内山書店の発行に移る）。大修館書店から単行本として正続二冊（『正編』は一九八〇年、『続編』は一九九六年)、それに私家版の補編(二〇一一年、東方書店扱)を加え、三冊にまとまっています。私は、この経験を生かして、中国の常用漢字三千五百の範囲で、現代中国語の「字」典を作りたいと思うようになりました。試しの原稿を書いて、中国語科教育法の授業で教材にしたりしました。ある出版社が話に乗ってくれましたが、編集者と話し合ってみると、二、三年でやってくれ、とか、途中で担当者が変わるかも知れない、といった発言があり、私の構想を実現するには向かない、と家に帰るなり、断りました。

一九九二年十二月に出た『中国語図解辞典』は刊行までに二十年もかかって、版元の大修館書店には迷惑をかけました。編集者とぶつかることも数々ありましたが、著者に、それならお前が作れと言わせるぐらいの、著者とけんかになるほどの編集者でないと、良い本は生まれませんね。『中国語図解辞典』は、完成までに、私の中国長期滞在をはじめ、四人の共著者それぞれの事情で時間を食いましたが、刊行後、『中国語文』一九九三年三月号に書評、香港の朗文(Longman)からは英語版が出ました。英語版は二〇〇〇年に上海外語教育出版社に複製されました。親版は、二〇一六年には上海訳文出版社と契約し、『中华文化汉日图解词典』として大陸でも刊行されました。上海カシオの電子辞書搭載では、図絵画面の再編集処理にかつての編集担当者が協力してくれました。私は、『中国語図解辞典』の生命である図絵が、描

2000 年代初頭、後楽賓館前。右から陸倹明、輿水、馬真。

いてくれた落合茂さんの力で、いかにも中国の雰囲気を映し出し、類書に比べ格段の出来栄えと自負しています。北京大学の陸倹明先生ご一家を日本に招き、合宿で口語語彙の吟味をした、仕上げの日々も懐かしい思い出です。

私は、初歩の段階で学習の場に出現しながら、教科書でも参考書でも説明の見当たらない問題に、私の語感で間違っているかも知れない、教室だったら口が滑って直感のまま話してしまうかも知れない、でも、そういう問題こそなんとか解明してみたい、そんな文法参考書を書きたいと、早くから考えていました。そういう意味で、望月八十吉さんの『中国語学習のポイント』（光生館、一九七〇年）の文法編、語彙編は参考になりました。望月さんのテレビ講座テキスト作成時の産物で、講座ゲストの高維先さんとの共著です。私なら、Q＆Aの形が最適ですが、経験を積まなければ書けない仕事ですから、年を重ねているうちに、若い世代の人たちによる類書が先に出てしまいました。テレビ・ラジオ講座のテキスト執筆では、最初歩の発音から、基礎文法事項のあたり、学生時代の反省と反発をこめて、自分なりの工夫を凝らしましたが、後に、いつの間にか個別に、そのまま流用されていた向きもありました。「借りときましたから」と、手軽なごあいさつをくれた人もいます。初歩の説明は誰しも似たり寄ったりにはなるけれど、たとえば、声調の図示の仕方など、著作権あるいは盗作？といった問題があるかも。まあ、お互い様、ということで、目をつぶって来ました。

中級以上の段階になると、読解力養成が気になります。中国で日本人留学生たちを教える先生から、日本人は休み時間に日本人同士でおしゃべりしているのに、会話の授業では口が重い。でも読む力は他の国より優れている、と聞くのですが、読む力と言っても、日本語の漢字を見る目で意味を推し量っている場合も、多分にあると思います。書き手の気持ちをあらわす助動詞や副詞、助詞の意味は、漢字を見てもわかりません。文の組み立てがつかめず、逐語訳ならまだしも、逐字訳にもなりかねません。中国に滞在して、毛沢東選集の日本語訳にもかかわった安藤彦太郎さんに聞いた話ですが、日本側の翻訳者が〝不是～是～〟を「～でなくて～だ」

としたところ、中国側の翻訳者は「～であって～でない」と逆にして訳した方がよいと主張して、"不是～"の部分の訳は後ろに持っていかないと、中国人の言いたい趣旨があらわせないと言ったそうです。こまぎれの、短文ばかりを文例とするテキストでは、文法事項の習得はともかく、読解の練習には不向きです。私は、中国人作家の、主として小説から、人の一生に遭遇する、いろいろな場面を描写した一章を抜き出して、中国人の考え方だけでなく、中国の生活習慣や風習にもふれられるように並べ、そして読む力もつくように配慮した読解の教科書を作ろうと考えたのですが、編集者から、著作権の問題があるから魯迅以前の作品じゃないと載せられない、と言われました。七十年代までは、中国の作家の作品をそのままテキストや対訳本にしていましたが。課文だから数百字の引用だけど、最近は試験問題などでも著作権が問題になりますね。仕方がないから、別のテキストを作る時に、入門編は中国人の一日の生活、初級編は一年の生活、中級編は一生の生活と分け、一生の部分に名著鑑賞として、問題の無い三点だけ短めに載せました。それが、『中国人の生活を知るための中国語入門』（白水社、二〇〇二年）です。

——いまでは考えられないことですが、先生の作ったテキストに、中国に対して反感を持った人から脅迫状が届いたそうですね。

輿水　そうそう、三修社で『現代の中国語』（一九七一年）を出したら、当時の中国に反感を持った人から手紙が来たんです。月夜ばかりじゃないぞって、古典的な言葉で書いてありました。毛沢東の宣伝をするつもりなのかって。

――その『現代の中国語』は、「新しい中国を反映させた中国語のテキスト」だということで毎日新聞の社会面に取り上げられたそうですね。中国語テキストが新聞で報じられるというのもめずらしいことだと思います。

輿水　毎日新聞にね、三修社が取材を頼んだんですよ、きっと。そのころの教科書には、まだ戦前を引き継ぐものがありました。戦後、中国語の先生で訪中した人はほとんど無く、一九六六年に、日中文化交流協会の仲立ちで、藤堂先生や香坂先生など、日本の中国語の先生方が代表団を組織して、初めて新中国に行き、三蔵法師の〝取经〟qǔjīng じゃないけど、教科書、テキストをいろいろもらって来たんです。それは、戦後、初めて日本にもたらされた新中国のテキスト類でした。私は翌年、初訪中を果たし、帰国後、『現代の中国語』を作りました。自分で言うのもなんだけど、新しい中国を反映するテキストに仕上げました。思想的なものはありませんが、毛沢東をたたえる歌「东方红」を載せ、毛沢東の肖像を図柄にした切手を挿絵にしました。それを新しい時代の教科書だということで、版元が新聞記者に話したのでしょう。記事が出て、すぐに脅迫状が来た。まだどこかに取ってあるけど、手書きですよ。

『現代の中国語』以前に出した本が二点あります。私の初めての著書は、大修館書店の『中国語の話し方』。一九六九年十月一日発行ですね。この『中国語の話し方』という本は、日常よく使う言い回しを、『劇本』という中国の雑誌に掲載された多数のシナリオから、会話の教材として日ごろ集めておいた場面を選び、簡単な対話で、会話の表現が学べる仕組みになっています。会話辞典としても使える独習書です。初訪中の後、現地の体験を思い起こしつつ書きました。

―― 関西では授業で愛用されている先生がおられます。

輿水 いまでも十分に使えると思っています。会話の常用表現を網羅しています。この本の表紙の写真は現地で撮ったものです。裏表紙も。

―毛主席語録の〝语录牌〟yǔlùpái（毛主席語録の表示板）なんかも写っていますね。

輿水　文革中の風景です。杭州西湖の日曜の朝です。

―当時のマーケットの、野菜売り場の店員や魔法瓶売り場などの写真もありますね。そのころの中国語学習書として大変斬新でした。この、『文法・読解 基礎中国語』（東方書店、一九八三年）の表紙の写真はどちらで撮影されたものでしょうか。

『中国語の話し方』

『文法・読解 基礎中国語』

輿水　それは、一九七九年の春に一人で江南を旅行した時の写真です。揚州の痩西湖です。上海発の列車の中で、日本の写真家と偶然知り合って、あちらは中国語はわからずの一人旅で、結局二人相部屋で南京や揚州を歩いたんです。風景を写した芸術写真のカレンダーを制作している方でした。この写真家の撮影場所で一緒に撮れば、表紙に使える写真が出来るんです。

　続いて、私の著作、二作目は大学書林の『やさしい中国語の作文』、一九七〇年二月の発行です。この本も初訪中の成果です。北京滞在の三週間に、言語研究所の劉堅[64]さんらがほぼ毎日、ホテルに来訪、時節柄、教材は毛沢東の論文でしたが、文法、語彙など教授してくれた。そのおかげで、文法を骨組みに使った中国語作文の独習書が書けました。やさしい、というタイトルは、版元の語学書のシリーズに沿ったものです。劉堅さんは文革後、来日の際、私の家にも来てくれました。その後、言語研究所の所長にもなりました。

　生意気に聞こえるかも知れませんが、私は、本を書くにあたって、キワモノは出したくない。日中の国交が回復したころ、会話書を出してくださいと、あちこちの出版社から話があったけど、みんな断わりました。中国旅行のための本だけは作ったことがあるけど、自分用にも使うから。私は、いつも三十年たっても生命のある本を書きたい、と思うんです。その点で、大修館書店の『ＬＬ中国語』は、一九七三年初版で、十六年目に手を入れて新版になりましたが、初級用は四十年を越えて、いまなお出ています。途中の改訂は、中国の社会の変化が大きくて、必要になったわけです。新中国で最常用語だった〝同志〟tóngzhì を呼称に使わなくなり、日本の教科書、参考書からは消えましたが、このシリーズでは初級用でいまも残してあります。まだ場面によって出現するから。最近も〝护士同志〟hùshi tóngzhì（看護師さん）という呼びかけの例を小説で見ました。それに〝同志〟の、二声＋四声の発音は初心者に難しいから、練習用に。『LL中国語』は当時、同じ版元から出ていた、『田崎英会話』初、中、上級の三冊本にならったもので、さらに発音編にあたる、入門の一冊を加えています。上級は改訂で消えたんですが、実は陳文芷[65]さんと日本の文化や社会を話題とする対話を用意していたのに、私が超多忙で脱稿できなかったんです。完成していれば、いま役立ったかも知れません。

『やさしい中国語の作文』も長命で、四十年を越えました。反対に、短命というか、使い捨てになる例もあります。テレビやラジオのテキストです。他の講師の例ですと、初級の場合に

64　劉堅…（一九三四～二〇〇二）一九五一年、北京大学中文系卒業と同時に中国科学院言語研究所に入り、近世、近現代の語彙語法を研究領域とした。一九八五年から九六年まで所長を務めた。著書『近代漢語読本』など。ほかに『現代漢語八百詞』の執筆もしている。逝去後に『劉堅文集』が刊行され、主要な学術論文を収録している。

65　陳文芷…（一九三七～）北京外国語学院卒業。はじめロシア語専攻、後に英語を専攻。一九七四年来日、NHKテレビ講座ゲストとして発音指導。後にラジオ講座講師。愛知大学教授を経て、日本大学文理学部教授、同大学芸術学部教授。二〇〇七年退職。著書『積み木式中国語』（東方書店）、『入門終えたら挑戦！朗読中国語』（NHK出版）。

は、ほとんどの方が、講座で使用後に単行本として刊行されていますが、なぜか私にはその機会が無かったんです。後年、日本放送出版協会から別途に、書き下ろしの『気軽に学ぶ中国語』（一九九三年）を出しました。まったく市販されなかった教科書もあります、部内発行ですね。外語大から日大に移り、ちょうど日大文理学部の中国文学科が中国語中国文化学科に衣替えする時だったので、依頼されて学科内で使用する初級中国語教科書を作りました。十年近くは使ったでしょう。この本にラジオ講座の私のテキストから、課文などを借用しました。

ついでに私の、本にまつわる、残念に思うことを話しましょう。私が著者ではなく監修者なんですが、東方書店から出た『中国語基本語辞典』（二〇〇〇年）。北京語言文化大学（現在の北京語言大学、前身は北京語言学院）の康玉華さんと、同じ大学の日本語の先生方が執筆したもの。常用する中国語のミニマム二千三百語に的確な説明をした上、類義表現や日本語との対比を加えた学習辞典です。原稿の段階では、例文に呂叔湘の『現代漢語八百詞』からの借用が目立ち、なにより中国の日本語学習者向けに記述する姿勢が気になって、私は一語一語みな検討し、修正を求めた結果、日本人の中国語学習者向けの学習辞典になったのですが、私は十分に手がまわらず、東海大学の豊嶋裕子さんが全部、手を入れてくれました。豊嶋さんは校閲者となっていますが、実際には編者の一人です。先方から私を共著者に、と求められましたが、語彙の選択などにかかわっていないので、監修にとどめました。小辞典の故か宣伝不足か、苦労したのに初版だけで終わりました。

残念と言えば、『中国語図解辞典』も、資料集めから苦労を重ねたのに、部数が伸びなかった。その理由の一端に、書評の影響も考えられますね。『図解辞典』は、値段が高いなどと、本質的でない書評を、現職の中国語教員から頂戴しました。同じく『東方』誌に掲載されたものですが、日大文理学部の刊行物として、日本大学の専任を終える時に出した『中国語の教え方・学び方――中国語科教育法概説』（二〇〇五年）に対する書評は、内容の紹介にとどまっていて、残念でした。それとは別に、外語大と東大で机を並べた渡邊晴夫さんが、内山書店の『中国図書』（二〇〇六年二月）の読書アンケートで、同書に対し、「英語以外の外国語で教科教育法は見たことがない。ドイツ語、フランス語に先駆けてこの本が出たことはうれしい」と、文をしめくくっていて、私もうれしくなりました。

私が島田亜実さんと共著で出した『中国語　わかる文法』（大修館書店、二〇〇九年）は、中国語教育学会が二〇〇七年にまとめた『中国語初級段階学習指導ガイドライン』に基づいて、辞書と共に机上に必要な文法書として編んだもの。文法書を出すのは『中国語の語法の話――中国語文法概論』（光生館、一九八五年）以来のことでした。『中国語　わかる文法』は二百四十四の文法項目に、簡潔な例文を提示し、わかりやすく記述しています。教室文法だから、初級の文法説明に苦しんだり、悩んだりした教員や、現に学んでいる人を視野に入れて、見てほしかったのに、やはり同じ雑誌の書評が、教育者というより、研究者としての目線での物言いになっていて、残念なことでした。

わがままの回顧と悔悟

輿水　白水社は、長谷川先生と金丸邦三さんの共著の本を、かなり早くから出しているけど、最初は『中国語教科書会話編』上下二冊（一九六六〜六七年）でした。このテキストは、数年後の大学紛争時には、新中国を反映していないなどと、時の流れで、批判されたこともあったけれど、一九七二年には改訂新版が出ています。極め付けは、長谷川先生が一九六六年に出した『わかる中国語基礎編』（三省堂）を、金丸さんが、先生没後の二〇〇一年に補訂して『新わかる中国語基礎編』が出たことです。先生の御遺志に沿うように補訂したと記されていますね。一方、私は長谷川先生と共著の本を出すことも無く、それどころか、いまでも気になっていることが、あるんです。それは、私の『やさしい中国語の作文』（大学書林、一九七〇年）

についてなんですが、外語大で中国語作文と言えば、長谷川先生の専売特許。私の、文法を柱とした作文参考書は先生と異なる構成であることから、先生に校閲もお願いせず、そればかりか、まえがきに「作文は、たんに例文を暗唱したり、慣用句をうのみにすることが目的なのではない」とまで書いてしまった。先生は、刊行時も、その後も、私に何も言わなかったけれど、いつであったか忘れましたが、本作りの話から「私は鐘さん（＝鐘ヶ江先生）と（著書が）衝突しないようにしているのよ」と言われたので、ハッとした思い出があるんです。長谷川先生は鐘ヶ江先生と同じ年の生まれだけど学年が一つ違うんです。長谷川先生って、はじめ師範学校に行くつもりだったのが、外語を受けることになったようで、鐘ヶ江先生より卒業が一年後輩になっています。だから鐘ヶ江先生にはとても気を遣っていた。同じような本は作らないようにしていたんですね。衝突というのは、けんかするという意味じゃないですよ、競合する、バッティングする、ということ。私は長谷川先生に、原稿を見ていただくべきだったのです。先生の言葉は、私を諭されたものだと認識しています。きっと、自分勝手な、わがまま者だと思われたことでしょう。

わが道を行く、と言えば聞こえがよいのですが、月刊『中国語』誌でも、こんなことがあったんです。一九六八年ぐらいですね、『中国語』誌を出版社でなく中国語友の会が出していたころ、私が「作文と会話」という連載を書いていて、倉石先生が私の原稿に筆を入れて直したことが耳に入った。何を直されたか忘れてしまいましたが、私が、自分が書いたんだから自分で責任を持つ、直されては困る、と言い張ったので、編集を担当していた高橋均さんはさぞ困惑されたと思います。よく考えれば、『中国語』誌は表紙に倉石武四郎監修と記していたんですね。私は、初の訪中直後に書いた原稿で、現地での聞き書きも取り込んでいたから、意気軒高というか、我を張って、結局、連載二回で執筆辞退となりました。わがまま者でしたね。後日、学会か何かの折に、東大教養学部の工藤篁先生に呼びとめられ、倉石先生が直されたのに、なぜ断るのか、とお叱りを受けました。工藤先生に教室で教えは受けていないけど、私は一九六四年から三十年近く、教養学部で非常勤講師をしました。ほとんど第三外国語クラス担当でした。第三外国語は週一回、半年間ですが、一年続ける学生も少なくありません。日中国交正常化のころは，受講者が一クラス四百五十人になったこともありました。大きな階段教室だったので、冗談に、次回はオペラグラス持参と言ったら、次の週に大勢が持って来ました。第三外国語は、進路が中国や中国語とつながりの無い者が多いと思い、日中友好には、縁の下の力持ちになれるであろう、と自負していました。外語の大先輩でもある伊藤敬一[66]さんが、教養学部ではじめ私と同じ非常勤、工藤先生退官後は、専任になられましたが、授業後三人で伊豆に一泊旅行したり、親しくしていただいたんです。いつのことだったか、伊藤さんから、「君は言い方がきついね」と言われたことがありました。思ったことを遠慮せずにしゃべっていたんだと思います。伊藤さんは思いやりのある方で、東京の人はそうだけどね、と一言添えてくれましたが、私は、日ごろはっきりした物言いを意識していたので、あまり気に留めませんでした。伊藤さんは名古屋のご出身。私は、立川談志や永六輔の話しぶりが好みです。この二人も東京人ですね。しかし、話しぶりではなく、我を張る、というか、わがままに振舞ったかも知れないケースが、いま思い起こしてみると、編集者への対応で何度もありました。

ある日、某出版社の新人編集者が、原稿を直しておきましたから、と連絡してきたのですが、漢字や仮名遣いなど表記上の誤りではなく、内容にかかわるチェックだったので、編集部に申し入れ、担当者を変えてもらいました。また、ある日、中国語講座のテキストの校正刷りを、締め切り前夜、私の家に届けて来た方に、明日までですから、ちょこちょこっと見てくだされば結構です、と言われ、腹立ちまぎれに、ちょこちょこっとは出来ません、と答えたことがあ

66　伊藤敬一…（一九二七～二〇一七）東京外事専門学校卒業。東京大学文学部卒業、同大学院満期。東京都立大学を経て、東京大学教養学部教授。一九八七年定年退官後、中京大学教授。一九九七年退職。中国現代文学の研究者。老舎の研究で知られ、日本老舎研究会会長も務めた。日中友好協会理事長、会長。『「老牛破車」のうた』（光陽出版社）は、伊藤敬一散文選集。『中国語の基礎―発音と語法』（朝日出版社）。

1979年、北京の国際放送局で録音中。「北京放送」の陳真さんに依頼され、日本向けの放送に出演し、陳真さんと対談。

ります。同じく中国語講座で、テキストに私の書いた原稿と表現が少し異なる箇所を見つけ、編集者に質したところ、覆面の校閲者が表記などチェックしているような話でした。表記にしても中国語にかかわる部分は、勝手に手を入れずに、私に知らせてほしいと、注文を出したんですが、クレーマーと思われたでしょう。編集者が外語大の卒業生だった例で、ある辞書の推薦文を五十字で書いてほしいと頼まれました。字数からすればキャッチコピーみたいなものですね。原稿を渡すと、この内容なら百字にしてほしいと言うから、字数が違えば、発想も違って来る、改めてはじめから書き直しになるんだ、と叱ったこともありました。うるさい奴だと思われたでしょうね。北京放送局の陳真[67]さんが晩年、ＮＨＫのテレビ・ラジオ講座に出講などで、日本に長く在住されるようになって、私に、先生はこわい人だと思われてますよ、と忠言してくれました。わがままなんですね。

初めての中国

――先生は一九六七年に初めて訪中されたそうですが、当時は国交回復前ですし、文革中でもありました。その際のエピソードなどを聞かせてください。

輿水　まずは、どうして行くようになったか、お話しましょう。一九六〇年代に入って、日中交流が少しずつ進んで、中国に行く人が増えたのに、戦後、中国語の教師で中国に行ったことのある人がほとんど皆無に等しいということから、中国語の学会である中国語学研究会で、なんとかしなければいけない、という話がしきりに出て、日中文化交流協会に頼んでみようということになったんです。学会本部の仕事をされていた藤堂明保先生が、協会に行かれる時に、私もついて行きました。そのころ、一九六〇年の秋以来、学会機関誌である『中国語学』の編

67　陳真…（一九三二～二〇〇五）父親の、言語学者陳文彬は台湾出身、東京で教職に就いていたので、陳真は東京で生まれ、十四歳まで日本で学校に通う。戦後、父親が台湾大学に赴任したので台湾に移り、母子で香港を経て、新中国成立直前に一家は北京に落ち着いた。十七歳で北京の国際放送局に入り、日本向け日本語放送のアナウンサーを四十年を越えて務め、その間に「北京放送」中国語講座の講師を担当。一九九〇年代にNHK中国語講座で、テレビ・ラジオの講師を務めた。『柳絮降る北京より―マイクとともに歩んだ半世紀』（東方書店）、『北京暮らし今昔』（里文出版）。

集が外語大の担当となり、私が田中清一郎先生の下で、編集作業をしていました。実質的には校正作業、他に執筆者や印刷所との連絡、印刷所には出張校正にも行きました。それで、藤堂先生のお供をしたというか、一緒にくっついて行ったんですね。何回か行きました。日中文化交流協会には、当初、うちは作家や俳優さんの文化交流はするけど教師の交流はしないと言われたんです。それでもね、やっぱりなんとか中国側に伝えてほしい、中国語の教員も中国に行かせてほしい、とお願いしたんです。そうしたら、一九六六年四月に、中国語教育者研究者日本代表団を招いてくれることになったんです。中国人民対外文化協会と中国科学院が、中国語の先生を招いてくれる、というので、伊地智善継[68]先生、香坂順一先生、芝田稔[69]先生、藤堂明保先生、長谷川良一[70]先生、計五人の教員の、初の新中国訪問が実現したんです。団長は藤堂先生です。

この代表団が、ぜひこの事業を続けてほしいと、現地で話した結果、科学院が引き受けてくれた。いまは中国科学院というと理系ですが、そのころはいまの社会科学院は無くて、文系、理系とも中国科学院だったんですね。だから、中国科学院哲学社会科学部というところが翌年も招いてくれることになったんです。藤堂先生が、私に今度は君が行きなさいと言ってくださった。私は最年少で、訪中時は三十二歳でした。団長は香坂先生、他に、同志社大学の大原

信一[71]、早稲田大学の大村益夫[72]、龍谷大学の柴垣芳太郎[73]、早稲田大学の新島淳良[74]、北九州大

68　伊地智善継…（一九一九〜二〇〇一）大阪外国語学校卒業。一九四一年から一九八一年まで四十年にわたり、母校で中国語の教育、研究に尽くす。大阪外国語大学教授、学長を定年退官後、関西大学教授、流通科学大学副学長。中国語学会理事長、ビジネス中国語学会創設に関わる。二〇〇〇年に中国政府教育部から中国語教育への貢献により中国言語文化友誼賞受賞。多年、心血を注いで執筆を続けた『白水社中国語辞典』は逝去の翌年に刊行された。

69　芝田稔…（一九一六〜二〇〇七）北京大学卒業。関西大学教授。一九八四年から二年間、中国語学会理事長。著書『新しい中国語・古い中国語』（共著、光生館）、『日本中国ことばの往来』（白帝社）。

70　長谷川良一…（一九二六〜二〇一七）京都大学卒業。中国語教授法、教材論、特に入門段階、発音教育について多数の論著。倉石中国語講習会講師以来の実践が素地。早稲田大学教授。『中国語入門教授法』（東方書店）、『独学中国語入門　絵と音で学ぶ』（白帝社）。

71　大原信一…（一九一六〜二〇〇三）大阪外国語学校卒業。京都女子大学で教職に就き、同志社大学教授、大東文化大学教授。中国の文字改革に関する論著多数。『中国語と英語』（光生館）、『近代中国のことばと文字』（東方書店）、『中国の識字運動』（東方書店）。

72　大村益夫…（一九三三〜）早稲田大学卒業、東京都立大学大学院博士課程中退。早稲田大学教授、二〇〇二年定年退職。中国朝鮮族の文学を研究。著書に『中国朝鮮族文学の歴史と展開』（緑蔭書房）、『旧「満州」文学関係資料集』（共編、大村益夫）。

73　柴垣芳太郎…（一九一九〜一九九五）東京外国語学校卒業。南山大学、龍谷大学、北陸大学教授を歴任。老舎の研究者として日本老舎研究会の中心メンバー。『老舎著作年表』（花島書店）、『老舎と日中戦争』（東方書店）、『中英日自然科学用語辞典』（東方書店）。

74　新島淳良…（一九二八〜二〇〇二）旧制第一高等学校中退。早稲田大学教授。中国研究者。文化大革命期に、中国の内部資料である毛沢東の論文集を公刊し、批判を受けた。一九七三年早稲田大学を辞職し、ヤマギシ会の活動家になる。『毛沢東の哲学』（勁草書房）、『魯迅を読む』（晶文社）、『ヤマギシズム幸福学園』（本郷出版社）。

1967年8月6日、初訪中で北京空港到着時の記念写真。右から1人おいて、大村、輿水、新島、柴垣、大原、香坂、服部、科学院外事処主任、安藤彦太郎夫妻、係員2名。

学の服部昌之[75]の各先生、合計七名でした。ところがその後、前年から動きのあった文化大革命の状況が大きく進展して、先方が受け入れに難色を示していることが、協会から伝わったんです。それでは困ると、どういう折衝をしたのか知りませんが、中国側は知恵のある人がいるんですね、毛沢東著作言語研究家日本代表団という団名なら受け入れる、ということになったんです。毛沢東の論文の語学的研究をしている研究者という名目にすれば、中国側も招待可能ということです。しかし、そのためには、何か研究成果を携えていく必要がある、という話で、急遽、各メンバーは代表団の名義に即した論文などを用意することになりました。

実は、前年の第一次訪中の際に、毛沢東著作言語研究会を組織するという発議が団員の間にあって、帰国後、香坂先生がこれを呼びかけ、一九六七年一月には会誌『毛沢東著作言語研究』第一号が刊行されていました。そこで、私たち第二次の団員は、それぞれ専門領域に見合った論文を至急まとめた上、会誌の第二号に登載し、訪中時に携えて行くことになり、私もその年の春は大忙しだったんです。そして語学の分野では、毛沢東の論文を適宜選んで、その注釈を作成するということになり、私は『毛沢東著作選読乙種本』のうち、「中国社会各阶级的分析」と「〝糟得很〟和〝好得很〟」の二篇の論文に対する語学的注釈（試稿）を書きました。この第二号には、代表団員以外の方の論文も載っているんですが、それで、現地到着後ちょっと問題が起こったんだけれど……。

私にとっては、実は、その論文執筆以上に大変なことが起こったんです。パスポートがなかなか出ないんです。当時は一次旅券です。国交が無いから、中国への渡航は制約があった時代で、

75　服部昌之…（一九三〇～二〇〇一）…南山大学卒業、大阪市立大学大学院修了。北九州大学教授、熊本学園大学教授を歴任。著書『中国語＝新しい成語の話』（光生館）。

特に私は、国家公務員は共産圏渡航禁止という原則があって、特別な許可を申請するんですが、許可がなかなか出ない。私以外は、みなさん私立、公立の学校だから特には問題無しですが、私の場合、国立大学の教員ですから、文部省の人事課にも直接行って頼み込みました。でも、法務省からの許可が出ないと、文部省としても出せないんですね。とにかく何度も陳情に行って、お願いをして、ぎりぎりの六月末か七月になってやっとパスポートが出たんです。文部次官のハンコの押してある許可書を、手続きのため日中文化交流協会に持って行ったら、ずいぶんはやく出ましたね、こんなにはやいの珍しいです、と言われたんです。つまり国家公務員の共産圏渡航は本来ものすごく難しかったんですね。パスポートは取得したけれど、ビザの手続きは日本では出来ない。香港に行って、香港の中国旅行社にビザをもらうんです。しかも日本のパスポートにはビザのハンコを押してくれないんです。国交が無いからか、小さな紙きれにビザのハンコを押して、ゼムクリップでパスポートにとめるだけです。八月四日に羽田からルフトハンザの便で、まず香港に行くことになり、東京を出て三日目に北京に着いた、香港経由ですからね。いまなら北京まで三時間だけど。

——日中国交回復前は、日本から中国に行くには香港経由しかなかったんですね。

輿水　もちろん香港経由でしか入れません。まず、香港に行って、ビザをもらう。香港の中国旅行社が一種の領事館なんですね。香港でも中国側のガイドがついてくれます。あいにく、香港が反英暴動のため騒がしい時で、ホテルから外に出られない。騒然とした状況で、外国人は街に出ないほうがいいと言われた。香港に来たというのに、外に出られないから、夕食はホテルの食堂。それでも、招待旅行だから、コース料理が決まっているらしく、ビールなんか次々に運ばれ、ウェイターがグラスに注いでくれる。団員の一人が断るつもりで〝够了，够了〟gòu le, gòu le（もう十分です）と言ったら、コーラを持って来た。香港は英語の世界だね、ずばり〝不要〟bú yào の一言でよかったのに、と笑い合いました。

翌朝、九龍と広州の間を結ぶ九広鉄道に乗って、まず深圳に向かう。香港側の終点、羅湖で降りて、小さな川にかかる橋を渡ると中国側の深圳で、辺防検査がある。橋の手前で、ちょっとこわい思いをしました。境界の風景をカメラに収めようとしたら、グルカ兵かなにか、英国側の警備兵が私に銃を向けてきた。境界だからか、反英暴動の時期だったからか、初めての体験でした。中国の招待による代表団は税関や入国の検査が簡略になるそうで、広州から迎えに来ていた人たちと昼食、線路はつながっているのに、今度は深圳発の広州行き列車に乗る。緑濃い南国風景や客家の民族衣装を着けた農民などを車窓から眺め、広州の二つ手前の駅ぐらいまでは順調でしたが、広州の街が遠望できるあたりで列車が止まっちゃって動かない。だいぶ長く停車してから、降りるように言われ、車外に出たら、紅衛兵の若者が線路に大勢寝そべったり、座ったりして、列車の通行を妨害していたんです。文化大革命を初めて実感した情景でした。先頭車両のあたりでなにやら交渉しているようでしたが、座り込みは解けず、その間に、中南科学院が車で迎えに来てくれて、市内に向かいました。東方賓館（羊城賓館）に泊まったんだけど、ホテルのベランダにガラス瓶が並べて置いてある。火炎瓶の用意らしかった。ホテル襲撃でもあるのかしら。ホテルから一歩も出てはいけないって言われた、文革だから仕方ないけど。市内の朝暉飯店・（北園酒家）で歓迎宴をしてくれて、ホテルから車で往復した時に、広州の夜景を見ただけでした。

その翌日、東京を発って三日目に、北京行きの飛行機に乗るんだけど、直行便ではなく、途中、杭州に降りて、一時間ほど休憩が入る。したがって、朝八時に広州を出発、午後一時過ぎ北京着となる。広州の白雲空港では、搭乗前に整列して、乗客一同揃って、『毛主席語録』を朗読しなければいけない。「あなた方は中国語が読めるんだから」って言われ、中国語の『語録』を渡されて〝革命不是请客吃饭。〟Gémìng bú shì qǐng kè chī fàn.（革命はお客を招いてご馳走することではない）なんていうのを朗読する。乗客一同『語録』の歌をさんざん歌わされた。だからいまでも笑うんですが、中国の歌はたくさん知ってるけど、みんな『語録』の歌か、革命歌ばっかり。何年か前、瀋陽の総領事に外語大出身の松本盛雄[76]さんがいて、私が瀋陽に出張した時、カラオケを案内してくれたんですね。カラオケで偶然、いま外語大の教員の橋本雄一[77]さんと一緒になったら、先生は『語録』の歌しか知らないんですね、と言われました。機内でも、いま日本語でスチュワーデスはCAだけど、中国語では服務員、彼女たちが『語録』を朗読し、『語録』の歌を歌ったり踊ったりしないと、お茶も出て来ない。激しく踊るので、飛行機の床が抜けるんじゃないかと思ったほど。こんな、歌を歌わないとお茶も飲めないようなフライトで、北京に着いたんです。

というわけで、東京から、香港一泊、広州一泊、三日目に北京に着きました。安藤彦太郎さんが夫妻で北京滞在中、空港に来てくれていた。そのころ『毛沢東選集』日本語訳の仕事で法

76 松本盛雄…（一九五二〜）東京外国語大学卒業。歴代首相と中国政府指導部との通訳で活躍した、有数の外交官。瀋陽総領事、パプアニューギニア大使、この間、二〇一二年に立命館アジア太平洋大学教授を務める。著書『中国色とりどり』（エヌエヌエー）。

77 橋本雄一…（一九六九〜）東京外国語大学卒業。東京都立大学大学院修了。千葉大学を経て、現在、東京外国語大学准教授。研究領域は中国近現代文学、植民地文化事情。著書『大連・旅順歴史ガイドマップ』（共著、大修館書店）。

政大学の小峰王親さんも滞在していた。中国側は中国科学院を代表して郭沫若院長が北京飯店で歓迎宴を開いてくれた。到着の翌日の夜だった。宿泊は北京飯店でした。いまの貴賓楼など無いころで、西向きの、天安門広場や人民大会堂、故宮もよく見える部屋、百八十度以上眺められる、展望台同然の部屋でした。面白かったのは、郭沫若院長の招宴の時に、中国側は、造反の時代だから著名な研究者の出席は無く、多くは科学院各研究所の若手の研究者だったけど、みんな誰も酒を飲まない、誰もが飲めませんと断る。ところが郭沫若がだんだん興に乗って、二十五年物の老酒を出せ、と言い出したんです。二十五年って言ったら結構な品物です、ふつうは十五年か二十年まで。服務員が持って来たら、中国側の人がみんな飲んだ。飲めないって言っていた人が飲んだ。珍重すべき品だったんでしょう。もっと面白かったのが、代表団の旅程の話になって、大慶油田に行きなさい、それから大寨にも行きなさい、と郭院長が言い出したんです。あの当時は〝工业学大庆、农业学大寨〟gōngyè xué Dàqìng, nóngyè xué Dàzhài（工業は大慶に学べ、農業は大寨に学べ）というスローガンが叫ばれていました。そうしたら、科学院の外事処の人がみんなそわそわしだした。数日経ってわかったけれど、行けって言われても行けるような状況じゃないんです。北京まで乗って来た飛行機の中で泣いてる人がいたんですが、後でわかったことだけど、文革で殺されたらしい人の遺族のようだった。そういう時期で、よくぞ招いてくれた、と思うほど。外事処は郭沫若院長の提案に、予定が決まっていますから、とか答えていたようです。しかし、北京到着時に、北京滞在十日間、その後、延安、井岡山などをめぐり、計一か月間、という希望を出して、関係機関との連絡、調整がこれからということだったんです。実際には、私たちは北京に三週間近くいたんです。延安も井岡山も行かれる見込みの無いことがわかり、行き場が無くなったんですね。飛行機も鉄道も満足に動いていないようで、交通手段が無いらしい。復路は、やはり香港経由の予定で帰すつもりだったらしいけど、天津港からの不定期貨物船による帰国を模索している、という話も伝わってきました。ただ貨物船の日程はわからないから、天津で船待ちするようになる、とか。

船出の日和を待つような感じで、それから毎日おおむね午前か午後の半日、中国科学院哲学社会科学部の各研究所から若手の研究者がホテルに来てくれて、学習をすることになりました。語学には言語研究所の人が、歴史には近代史研究所の人が、というように班別で共同学習をする。語学は、毛沢東の論文を教材にして、言語研究所の莫衡、劉堅、李玉英の三氏が相手をしてくれました。劉堅さんがもっぱら語法に関する話をしてくれて、私は宝の山に入った気持だった。帰国後の教学、研究に大いに役立った。劉堅さんは後年、言語研究所の所長になった。文革後に来日の際は、私の家にお招きすることが出来ました。莫衡さんは『现代汉语词典』の仕事をしている方。李さんは若い女性で、紅衛兵と言うほうが似合う感じ、他の二人とは言葉の時代的な落差が大きかった。北京飯店五階の会議室で、合計十三回、一回二時間半ぐらいの学習でした。日によっては、昼夜を問わず、訪問、参観、見学、観劇、映画と、あちこち出かけたのですが、観光めいた外出は長城と明の十三陵、頤和園、天壇など。動物園に行きたいと言ったら、動物園はいまちょっと、虎とライオンがけんかしているから駄目です、と冗談めかして断わられました。労働者がセクトで争っているから、行けません、ということです。ある日、自分たちで勝手に北海公園に行ってみたら、大勢ボート遊びをしたりしていて、何事も無い。結局、代表団としての訪問になると受け入れに難あり、ということですね。

一九六七年の夏は、武闘が激しかった時期で、私たちの滞在中にも、香港の反英暴動に関連して、造反派が北京の英国代表部に乱入放火、といった文革の歴史に刻まれる大事が起こりました。私たちが泊まった部屋から毎日、天安門広場や長安街の、人の流れや集会の様子がよく見えるんです。遠くから写真を撮ったけど、街で撮ったら大変です。相部屋だったOさんは、散歩して来ると言って、毎朝どこかに出かける。ある日、朝食の時になっても戻って来ない、朝食が終わっても帰って来ない。その日は朝から全員で西郊方面に出かける日程だったけどキャンセルして、案じていた。そこへ科学院外事処から連絡で、いま日本人が一人捕まっていると警察から電話が入った、地下鉄の工事現場で写真を撮っていたら、労働者らに捕らえられ、もめている、これから外事処が行って交渉する、ということでした。結局、戻って来たOさんの話では、撮影したフィルムを引き渡し、落着したそうです。中国では未完成の建造物など写真に撮ると問題になりやすいですね。日本人はとかく建設途上の建物などを写したがるけれど、中国人は、きれいに出来上がってから撮ればいいのに、なんで汚いところを撮るんだ、という発想ですね。建設現場はまずかったし、特に地下鉄の工事は、あるいは軍事にもかかわるからね。まして、労働者の意気盛んな、文革の高潮期でしたから。

そんな事件もあったのですが、自由時間には、ホテルを出て個人で気ままに歩きました。ただ、街中は人、人、人で、至る所に貼られた〝大字报〟dàzìbào（壁新聞）や〝海报〟hǎibào（ポスター）を読んだり、書き写したりする人だかりはとりわけ熱気を帯びていました。足元にはスイカの皮がころがり、暑熱で臭気を漂わせ、街全体がごみ置き場のような汚さだった。飛び散った紙くずを拾い集める子どもも大勢いたし。でも外国人には手を出さない、というか、危ない思いはしなかった。歩道には露店が並び、特に内部発行の書籍や未公開資料が目を引きました。造反派の〝小报〟xiǎobào（小型新聞）を売り歩く人も。団員の一人は、出歩いては、そんな刊行物を買い集めたり、大字報を書き写したりしたので、外事処からは気をつけて行動するよう一同に注意がありました。専門領域によっては、通常では入手できない、宝の山でした。私も露店で、言葉に関する冊子や地図など若干を買いましたが、何の資料だったか、覚えていません。というのも、外事処からは、帰国の際に正規の書店で買ったもの以外は自主的に出してくださいい、と持ち帰らないように、お達しがあったんです。中国側の招待で行った代表団なので、入国時は団長のカバンだけ開けます、と言って開ける格好だけ、以下省略だった、という話で、帰国時にも荷物検査省略と見込んで、実は、あれこれ持ち帰ったと思われる人もいたらしい。帰国後そういった資料を公開した人は、中国側にその後マークされたようでした。

――未発表重要論文多数収録とうたった『毛沢東最高指示』（一九七〇年、三一書房）は刊行後に物議をかもしたと言われますね。

輿水　私は、言われた通り露店での買い物は置いて来たので、何を買ったかも忘れてしまいました。実は滞在中、資料を持ち帰ってくれと私に頼んだ人がいたんです。そのころ、外語大の先輩で、北京駐在の新聞記者が数人いたんですが、そのうち二人の方が、それぞれ自宅に案内してくれました。単身赴任のようでした。収集した本や、資料を見せてくれたんですが、現在ならちっとも珍しくない、たとえば北京の胡同の詳しい資料などが私の目にとまりました。現地居住だからいろいろ集めている。中国には、内部発行という、外国人が買えない本もあるんです。大きな書店では店内の奥まった場所にカーテンで仕切られた入り口があって、内部書店と称して、外国人に見せたくない本を売っている。海賊版というか外国書の複製もある。現地駐在の強みで、おそらくそういう書店や、あるいは、書店以外で入手した本や資料も所蔵しているのでしょう。一人の先輩は、「自分は近々、中国側から帰国を命じられて、書籍類は持ち帰れないから欲しいものは持って行ってください」、もう一人の先輩は、「代わりに持ち帰ってくれないか」と、言うんですね。多分、私たち代表団は持ち物検査がゆるいと見込んでの依頼だったのでしょう。私は、もちろんどちらも断りました。団のみんなに迷惑をかけたくないから、と言って。私たちの帰国後、一か月後ぐらいかな、北京の日本人記者たちは強制退去になりました。文革の時期は、日経記者の鮫島敬治さんのように北京で監獄に入れられた人もいるんですから。

私たちの代表団は三週間近く北京に滞在したので、文革中ならではの訪問や見学の機会がありました。招いてくれた科学院は、言語、近代史のほか、文学、哲学の各研究所の若手研究者が対応してくれたのですが、言語研究所には代表団として訪問をしました。所長の呂叔湘さんや、李栄[78]さんなど高名な方には、当然お会いできませんが、私と同年配の三十代前半の研究者たちが迎えてくれました。中国に〝老中青三结合〟lǎo zhōng qīng sānjiéhé という言葉があるけど、三十四歳までが青年で、造反する側なんですね。ホテルでの学習で一緒の劉堅さん以外にも、侯精一[79]さん、賀巍[80]さんなど、文革後に外語大ＡＡ研で長期研究された方々も接待側にいたことを知ったのは、この方々が来日後のことでした。図書室で、外国書が鍵のかかった書棚に収められているのが印象的でした。学校関係は、紅衛兵がセクトで争っている時期なので、なかなか訪問先が決まらなかったんですが、北京師範大学と地質学院に行きました。迎えてくれたのは学生たち、つまり紅衛兵だけでした。変わった訪問先としては、天津に近い楊村の人民解放軍陸軍一九六師団で、毛沢東思想の活学活用の状況を見学、ここは一種の、見学用モデル部隊です。北京展覧館で開催中の首都紅衛兵革命造反展覧会では、紅衛兵が家宅捜索で押収した品々、金の延べ棒あり、銃器あり、の展示。私が目をとめたのは、北京大学中文系の王力先生が反動学術権威として批判されている資料の展示でした。この展覧会は外国人にはふつうは見せないとも聞きました。長辛店の二七機関車工場では、労働者が昼食に、生のニンニクをかじりながら餃子を食べている姿が印象的でした。北京と言えば、観光スポットのトップである故宮には、故宮見学ではなく、故宮を展示会場として使っていた〝收租院〟

shōuzūyuàn の見学で行きました。四川省の地主が過酷な年貢取り立てをする情景を泥で作った百十四体の塑像で見られました。中国人の一般来場者が、外国人のわれわれを取り囲みますから、「見世物」みたい。中国語で〝围观〟wéiguān（取り囲んで見物する）と言うんです。でも、こんなこともありました。「毒草」として批判され、発禁となった映画を国際クラブの小ホールで、われわれだけに見せてくれた時は、外事処の主任が、『語録』は私が代表で読みます、と私たちに気遣いをしてくれました。この時は『清宮秘史』と『早春二月』をゆっくり鑑賞できました。

北京滞在がそろそろ三週間に及ぶころ、上海に移動することになりました。天津からの帰国

78　李栄…（一九二〇〜二〇〇二）音韻学、方言研究で大きな足跡を残した言語学者。昆明にあった西南連合大学中文系卒業。二年次に物理系から転科した朱徳熙と同級になる。昆明の北京大学大学院で学位を取得し、助教となる。山東大学に移り、一九五〇年に中国科学院言語研究所に入り、学術誌『方言』創刊、一九八二年から八五年まで所長を務めた。著書『音韻存稿』、『語文存稿』、『方言存稿』、他に共著で『方言調査字表』、『古今字音対照手冊』など。趙元任の『Mandarin Primer』を抄訳した『北京口語語法』も李による。

79　侯精一…（一九三五〜）北京大学中文系卒業後、中国科学院言語研究所で方言研究。河北昌黎方言調査に参加、故郷である山西平遙方言調査は六次に及んだ。山西方言、平遙方言に関する論著が多い。学術誌『中国語文』編集長を担当。一九八八年に東京外語大ＡＡ研究所に長期滞在し『平遙方言分類語彙』を著す。著書『現代漢語方言概論』ほか。

80　賀巍…（一九三五〜）一九五六年に中国科学院言語研究所語音研究班卒業以来、言語研究所で方言調査と方言区分の研究に従事。中原官話に詳しい。学術誌『方言』編集長。一九八七年に東京外語大ＡＡ研究所に長期滞在し『中原官話課本』『漢語方言文稿集』を著す。

は望み薄なので、上海で船便を探すことになったようです。北京から上海に飛ぶ時も、往路と同様に、機内で泣いている人がいました。やはり親族か誰か殺されたのか、〝上訪〟shàngfǎngといって、中央に上訴あるいは陳情に来た帰路らしかった。飛行機では、当然『語録』の朗読、『語録』の歌と踊りで終始しました。上海は一週間滞在し、その間に杭州一泊旅行が入り、西湖遊覧でちょっぴり観光気分もありましたが、上海でも杭州でも、やはり学校、工場、人民公社、展覧会、港湾施設など見学、訪問で『語録』が手放せません。結局、上海も貨物船の便は無く、往路と同じ香港から帰国と決まり、上海―杭州―南昌―広州の空路に七時間近くかかり、広州の宿泊はやはり東方賓館に入りました。

広州のホテルは客も少なく、往路以上に空気が張りつめ、緊張感いっぱいで、外出は禁止でした。武闘が激しさを増していたようです。翌日九時半の列車で帰路に就く予定と聞かされていたのに、朝になったら「今日、みなさんを深圳まで自動車で送ります」という通達があり、「今日は昼ご飯は食べられないから、朝ご飯をいっぱい食べてください」と言われました。十一時近くだったでしょうか、人民解放軍の兵士が二十五人、武器は持たず、丸腰でやって来ました。われわれは乗用車、兵士の乗った軍用車が前後を守って出発したのですが、街道は紅衛兵にふさがれているから、迂回して行きます、ということで、深圳の方角は南寄りだと思うのに、北寄りに進むんです。途中で道を間違えて引き返したり、パイナップル畑を通ったり、山道に入ったり、車ごとフェリーに乗って、三度も川を渡ったり、どこを通っているのかわからないんですが、とにかくかなり回り道をしている。あるいは昼ご飯を食べさせようとして、場所を探してもいたんでしょうか、三時近くなったころ、この先に招待所があって、そこへ行って昼食を食べさせるから、と言われました。ところが、招待所に着いたら、紅衛兵たちが飛び出して来て、両手を広げて建物に入れさせまいとするんです。みんなピストルを持っていました。丸腰の兵士が、〝外宾、外宾〟wàibīn, wàibīn（外国のお客さんだ）とか、昼食を食べさせるんだ、とか話をして説得しても、言うことをきかない。われわれの前で交渉しているから、様子がよくわかる。そのうち乗用車の運転手たちが〝走了，走了〟zǒu le, zǒu le（もう行こうぜ）と言い出した。交渉しても無駄だ、と言うのです。結局、入れてもらえず、車列は走り出したんですが、兵士がどこからかスイカを買って来て、切り分け、昼ごはんの代わりに食べなさい、と勧めてくれました。目的地に着いたのは、少し薄暗くなったころ、日の長い時期だから七時ごろでしょうかね。深圳の招待所でした。兵士たちも同宿でした。広州から直行すれば多分、半分以下の時間で深圳に着いたと思いますが、八時間近くは車に乗り続けたことになります。走行距離は二百四十キロだったそうです。おかげで、話に聞く解放軍兵士たちの姿を実体験できました。

八月四日に香港に着き、翌日中国に入り、九月三日に中国を出て、再び香港経由、翌四日のフライトで東京に戻ることになりました。深圳の招待所は、いま変貌を遂げた深圳でどんな場所になっているのかな。一泊した朝、兵士たちと別れの挨拶をかわして出国、香港側の羅湖には日本の新聞記者たちが、中国から戻る日本人に文革の実情を取材しようと待ち構えていました。代表団は、客としての礼儀だから、話は一切しないと申し合わせていました。われわれが、その時、異口同音に語り合ったことは、大陸の人々は顔を輝かせ、きりりとした表情で、香港側で見る人びとの顔つきとは全然ちがう、という香港に入った直後の実感でした。中国人にとっては、文革の十年は、とんでもない時代であったわけだけど、私は本当に得難い時期に中国を見ることができました。中国の人びとにとって限りなくきびしい時期に一か月も過ごせたんですから。実は、私たちの北京滞在中に、持参した『毛沢東著作言語研究』第二号掲載の一論文が反毛沢東だとして、政治的な姿勢が問われ、検討会というか、批判を受ける場がありました。われわれが持参した機関誌をすぐ翻訳し、チェックしたんですね。団員の論文ではなかったので、帰国後の第三号で適切に処理することになりました。

〝外賓！〟の効用

輿水　初めての中国は、熱気にあふれ、混乱していたけれど、外国人にいやな思いをさせる、ということは全く無かった。紅衛兵やら、武闘やら、の時期だったのに、ある意味で外国人には安全な状況だったのかも知れない。真偽はわからないけど、以前、外国人に手を出したら死刑、と聞いたことがあるし、いくら文革でも外国人を傷つければ大変だ、という意識はあったんでしょう。われわれが、外国人として動いているなら、街を安心して歩き回れたんです。後年、たしか北京で通行中の外国人を襲った事件が大きく報道されたけど。代表団全員が引率されて展覧会の見学に行った時など、大勢の入場者で、動きがとれなかったり、人だかりで展示物が見えなかったりすると、案内の係員が〝外宾！〟（外国のお客さんだ）と声をかけるんです。すると、たちまち人びとが脇によけてくれるんです。〝外宾〟の一声で効き目が無かったのは、帰路の、兵士に送られて深圳に向かう途中の紅衛兵だけでした。

文革後の一九七八年に研究留学で北京大学に一年間いた時のことですが、長い行列が出来ている店で買い物する場合、〝外宾、外宾！〟って声をあげれば、列の一番前に行って、割り込んでも大丈夫ですよって、教えてくれた人がいました。私はそれが嫌で、行列に並んでいると、前後の中国人が奇異な目で私を見ることがありました。そのころの話ですが、北京の市内を歩き回りたいので、バスの定期を買っていたんです。ところがバスの定期は、月ごとに買い換える仕組みだから、毎月一回買いに行く。定期を買いたい人が月ごとに、同じ時に買うので、定期券売り場は大変な混みようなんですよ、行列で。古参の日本人留学生に、行列が嫌だと話したら、そんなのなんでもないですよ、〝外宾!〟って声をかけて、並ばずに窓口に行けばいいんです、と教えてくれました。日本人だけでなく、他の外国人だってやっていたんでしょう。大勢で行けば言えるけど、一人じゃ私は言えなかった。中国の人たちはどういう気持ちで見ているのか、と考えてしまって。

そのころの話ですが、北京大学に一年いて、あちこち旅行したんですが、冬の北京は寒いから、一か月ぐらい南方へ旅行に出たいと言ったら、私が〝专家〟zhuānjiā(専門家)の身分だからなのか、〝陪同〟péitóng って言うんだけど、付き添いの人をつける、という話になった。一人旅のほうが気楽だけど、毎日のように顔を合わせている陸倹明さんが随行員になったんです。雲南から四川に入り長江下りをして武漢から北京に戻る計画になった。陸さんは奥さんの馬真さんが四川の人だから行ってみたかったのかな。奥さんの故郷のほうは行ったことが無いような話だった。実は、私は桂林と昆明に行くつもりだった。しかし朱徳熙先生が長江下りを勧めてくださった。ダムができれば船旅は無くなるから、と言って。いま、あの時に行ってよかったと思います。

ところで、陸先生との二人旅は、旅行先で妙な扱いを受けたんです。ホテルに泊まるとなると、陸さんは〝陪同〟で、お供なんです。随行員の部屋は別室、一緒に食事も出来ない。随行員は従業員並みの、別の食堂で食べるんです。重慶からの長江下りの船は、まだ観光船など無い時代で、〝东方红〟なん号という定期船、一等から五等まであって、二等船客はわれわれ二人だけだった。陸さんとは二等の相部屋、食事も二等の食堂で同じだった。しかし、同じ食堂の、あちらのテーブルとこちらのテーブルに一人ずつ分かれて座らされ、私には〝外宾〟の、食べきれないほどのコース料理が運ばれ、陸さんは遠くのテーブルでなにやら簡単な食事をしている。出る料理が全く違う。こっちで一緒に食べましょう、と声をかけたけど、随行員の紀律違反として、とがめられる、と言う。いまでも陸さんと会うと一つ話でね、まだ中国人は食糧切符で外食していた時代でした。中流の武漢で下船したんだけど、ホテルに入ろうとしたら、私は堂々と正面から入り口を入ったのに、随行員はあっちから入れ、と陸さんは別の入り口に回された。これには陸さんも憤然としたようで、いまでもよく口に出す。外国人は正面から、中国人は脇から入る、という差別をされたんですから。

このような〝外宾〟に対する過剰な、行き過ぎた処遇は、ちょうどそのころから、新聞に投書で、一般の人たちの批判が出るようになってきました。たとえば、どこかのビーチで〝外宾〟専用のエリアが設けられ、中国人は入れない、といった批判です。優遇をされていた私自身の立場でも、批判があって当然だと思いました。同じく、北京大学にいた時、自転車を買うのに、留学生事務室で、本状持参の外国人に自転車の販売を願う、という商店あての依頼状を出してもらうんです。当時、中国人は、自転車は一種の割り当て購入制で、自由に買えるものではなかった。マーケットの自転車店に行って依頼状を見せたら、店主に、外国人のお前が買えば、これで中国人の自転車が一台減るんだ、と言われました。これも〝外宾〟優先に対する批判でしたね。もっとも、後年〝外宾〟は、交通運賃や入場料金など中国人より高い切符を買わされた時期もありました。

中国人のおもてなし

輿水　一九六七年の訪中では、北京でも上海でも、文革中という時期が時期だから、有名料理店でご馳走になるような機会はほとんど無かったけれど、毎日三度の食事は最高級ホテルの食堂で、中華料理を堪能できた。昼夜ともビールが飲み放題、さすがに朝食には出なかったけど。まあ、中国では生水が飲めない、冷たい水が飲めないから、水の代わりにビールなのかも。

――その時のビールはなにビールでしたか?

輿水　青島ビールでした。一九七八年に、北京大学に一年間いた時には「五星」というブランドが多かったし、私も好きだった。燕京ビールもそろそろ出て来ていた。いまはむしろ「燕京」のほうが、北京あたりでは多いでしょうね。「北京」というブランドもあったね。

初訪中の時の、北京飯店の部屋のサービスでは、テーブルにいつもタバコの「中華」が、二十本入りの、赤いハードパックのが置いてあった。私はタバコを吸わないから、はじめのなん日か、手を付けず、そのままにしておいたの。そうしたら誰かが、タバコをお土産に持って帰ればいい、毎日吸ったことにしてしまえば、また新しいのを部屋に持って来るから、と教えてくれたんです。試してみたら、たしかに毎日、新しい「中華」の赤い箱が来るんですよ。でもタバコは日本に持ち込める本数の制限があるから、毎日ため込んでもしょうがない。売店で見たら「中華」というのは高級タバコで高価なんですね。上海だか、杭州だったか、缶入りで五十本の「中華」が部屋に置いてあったけど、さすがに、それはそのままにしておいた。文革前に訪中したことのある人が言うには、以前は〝外宾〟の帰国時には大変なお土産を持たされたものだったそうです。中国科学院から私たちへのお土産は、文革中にふさわしく、『毛沢東選集』の全巻揃って一冊になった箱入りの本。それに英雄印の万年筆一本だけだった。変な言い方だけど、文革前の、〝外宾〟が少なかったころの外国人は手厚くもてなされたんだね。文革期は、毛沢東の言葉通り、〝革命不是请客吃饭。〟Gémìng bú shì qǐng kè chī fàn（革命は客を招いてご馳走することではない↓『湖南農民運動考察報告』に見える一節）ですよ。

気持ちの問題として、中国人がよく言うように、日本人は概して〝小气〟xiǎoqi だね。〝小气〟って「けちくさい、みみっちい」ということ。よくもわるくも、日本人は細かすぎる。せっかく中国人に便宜を図ってあげても、けちくさく感じられ、必ずしも喜ばれない。要するに「太っ腹」の反対。中国人は〝大方〟dàfang、「けちくさくない、気前がよい」ということです。「鷹揚」と言ってもいい。昔、中国人の持ち物をほめてはいけない、ほめると、あなたに進呈しましょう、と言われるから、なんて聞いたことがある。

一九八九年に初めて台湾に行ったんだけど、こんなことがありました。八十年代、台湾の教育部が毎夏、日本の中国語教員を一週間ほど台湾旅行に招いてくれていたんですが、一九八七年までは台湾は戒厳令が出ていて、日本の中国語辞典は大陸の簡体字だから持ち込めない、とか、大陸の刊行物は没収されるといった話が耳に入っていたし、誘われもしなかった。八九年に声がかかって、八人ほどのグループで招待された。台北のホテルは、お城のような威容を見せる圓山大飯店。都心から離れているからちょっと不便だけど。教育部の外国人を接遇する〝礼宾司〟lǐbīnsī っていう「儀典局」の担当官が、圓山大飯店に案内して、「滞在中、みなさんのホテルの中での飲食は、すべて無料です。ただし、〝洋酒〟yángjiǔ は駄目です」と言うんです。輸入したお酒は駄目だけど、レストラン街どこでも、なんでもタダ、と聞いて、みんなびっくりした。でも、考えてみたら人間一人が食べる分や飲む分なんて、たかが知れてますよ。細かいことを言わずに、なんでも無料ですって言うところが中国式だと思った。大陸でそういう言い方されたことは無いけど。で、その時にね、みんなで、あるレストランに入ったんです。ところが勘定書きが渡されたので、私たちは支払い不要と言われている、と主張したんだけど、結局、代金を払わされた。後で、教育部の担当官に事情を話したら、すぐレストランに行って、代金を取り戻して来てくれました。

それで、大陸も台湾も同じなのは、公的な機関の招待では、〝外宾〟を乗せた、専用の乗用車のフロントガラスに、大きな葉書大のカードを貼り付けて、受け入れ機関を示すんです。「文字改革委員会」が招いたら〝文改会〟wéngǎihuì、「教育部」が招いたら〝教育部〟jiàoyùbù、国章のマークなども入る。これで外国のお客さんが乗っていると、誰が見てもわかるんでしょう。なんか、「そこ退け、そこ退け」と、お芝居で役人の行列の先頭に掲げられる〝回避〟huìbì の札に見えてくるんです。こちらも別格の待遇を受けている感覚になりますね。日中の大学間交流では、日本で中国の先生を送迎する場合、学校の公用車で、出来れば学長や学部長の専用車、俗に言う黒塗りの車に乗せると、中国人は気分がいいようですね。ゲストはもちろん、ホストも顔が立つ。格別のお客様としての乗り物を整えるだけで、中国からの客人はこの上ないおもてなしと感じる。タクシーの送迎では駄目です。

台湾でもう一つ話があります。日大文理学部と台湾師範大学との交流協定を、私が働きかけてまとめたんですが、その時の話です。なぜ師範大学かと言うと、師範だから文科、理科、両方あって、文理学部とよく似ている。それに、国語中心という、大陸なら北京語言大学に当たる、外国人の中国語教育センターがある。さらに、キャンパスが日本統治時代の旧制台北高校で、一部の校舎を残していて、日本に親しみを持っている。ということで、協定調印には、文理学部の学部長だけでなく、事務方にも台湾に行ってもらった。用務が終わったら、事務方は、淡水のゴルフクラブに行く、という日程。日大出身の、台湾の実業家が紹介者というか、ゴルフ場の案内をしてくれる。学部長と私は、ゴルフはしないから、二人で市内観光をすることになり、二手に分かれる時、その実業家がね、懐から黒いカードを取り出した。クレジットカードです。「先生方は、今日はこれを使ってください」と差し出されたんです。アメリカンエキスプレスの黒いカードだった。びっくりした。結局、カードは使わなかった。飲食にも何にも使わず、夕方カードを返しました。使ってくださいっていうけど、制限なしに何でも買えるわけでしょ。ここまでやるのかと思った。まあ実業家だからかも知れないけどね。

実は、北京でも似たようなことがあった。夫は香港出身の実業家だということだけど、奥さんが外語大に研究生で来ていた。小学生の子連れで私の家にも遊びに来た。その中国人の研究生から、北京で夫である実業家が仕事をしているので、北京に来たら声をかけてください、と言われたんです。その奥さんは「私は中南海で育ちました」って言うんです。お父さんのことは尋ねなかったけど、政府や党の要人の居住区がある、中南海で育ったということは、相当の幹部でしょう。八十年代の前半だと思うけど、北京に行く機会に、私の日程を知らせておいたんです。そうしたらね、北京空港に白いキャデラックが来ていたんです。運転手が私の名前を書いた紙を掲げて待っていた。キャデラックはふだん実業家の乗っている車で、その日は、実業家自身は日産のローレルを自分で運転しているから大丈夫という話。「今日からあなたが北京にいる間、全部私があなたについているから、この車に乗ってください」と運転手が言うので、びっくりした。それで、北京滞在中、こちらが断らない限り、私がホテルで休息中でも、車が待機してくれているんです。この車で観光地に行くと、中国人の観光客が寄って来て、白いキャデラックを背景にした写真を撮る騒ぎ。こういう車が北京に何台あるか、と聞いたら、「北京に三台だけ」と言っていた。「どこで運転覚えたの?」と尋ねたら、解放軍の出身だった。いまは教習所があるけど、そのころは軍隊で運転を習得したんだね。実業家だから、と言えばそれまでだけど、その〝大方〟dafangな対応ぶりは、日本人がかなわないところ、だと思う。

ただ、気遣い、心遣いという点では、日本人の細やかさを認めてほしいですね。

私は中国の友人が日本を離れる時に、お土産は、あまりかさばらない、壊れにくい、持ちやすい、という観点で選ぶけど、そうすると、とかくかわいらしいけど、ちっちゃな品物になりやすい。しかし本当は、大雑把な言い方だけど、中国の人たちには、持ち運びのことなど考えずに大きな品物がいいのかな、と思います。それは、中国から戻る時にもらったお土産で経験しているからです。たとえば、ある時、帰国の数日前に、漬物石ほどもある、彫刻を施した、大きな石の置物を土産として贈られた。両手で抱えるのもやっとで、持っては帰れないから、在留の日本人に引き取ってもらった。北京大学で一年を過ごして帰国する時に、朱徳熙先生が、雲南料理の名品である鶏のスープが作れる、〝汽锅〟qìguō という蒸気を使う特殊な土鍋をお土産にくださった。先生は昆明の西南連合大学で学生時代を過ごし、昆明で結婚もされているから、記念の品としてお考えになったに違いない。だが、包装もままならない、すでに帰国が迫った時期。手荷物に加えるには、壊れやすく、かさばるので大いに困ったけど、なんとか持ち帰りました。

中国人に対するおもてなしという点で、恥ずかしい思いをしたことも多々あります。外語大の中国語学科は、国際学術研究という科学研究費を毎年申請して、上海外国語学院と、いまは上海外国語大学だけど、九十年代から十年ほど交流を重ねていました。成果物として、中国人の生活の諸相をカメラで記録した内部刊行物があります。毎年、私たちが上海外語に行くと、中国における日本語教育の権威者であるW先生が、招宴をしてくれる。一方、W先生が来日しても、外語大として招宴などすることは無かった。なん年か経って、先生から、日本に来ても外語大にもてなしを受けたことが無い、と言われてしまったんです。私たちと、個人的に飲食するのではなく、大学が先生をお招きする宴を設けてこそ、先生の顔が立つんですね。事務局長に委細を話し、校費で高級料理店を手配して、おもてなしをしました。

事務方が中国人の気持ちを考えられないのは、仕方ないんだけど、こんなこともありました。

日大文理学部と、中国の北京大学、石河子大学の三校で交流協定を結んだ時に、石河子大学は新疆ウイグル自治区で北京大学の支援を受けている学校ですけど、東京で三大学のシンポジウムを開いたんですが、午前が自由行動、午後から日本側が都内観光にご案内という日程の日のこと。そもそも、昼からの行事というのは、昼食は各自随意にどうぞ、ということです。これは、日本の官公庁の会議などでも、十三時開会では昼食は出ない、十二時開会なら出せます。でも、中国の先生方は、午前の自由行動からホテルに戻って来て、十三時の出発前に昼食があるものと思っている。午後の出発が迫っているので、事務局にも掛け合ったけれど、らちが明かない。同行する留学生が自腹で食事をさせる、とまで言い出した。私は昼になってホテルで事情を知ったので手遅れ。午後の出発時間になってしまい、貸し切りバスの席を埋めた客人に、途中で昼食を用意すると、お詫びして、最初の下車見学時に、自弁で飲料やサンドイッチやパンを買い込みました。実は、私はシンポジウムにかかわっていなかったので、中国人にとって一番大事な食事の手配に、日本の慣習に沿ったとはいえ、気遣いを欠いてしまったんです。

日本人の気の配り方は、いまや盛んに耳にする、おもてなしという言葉にも込められているんだけども、金持ちとか貧乏とかに関係なく、中国人の生き方、考え方に気遣いする必要があるね。細やかに心遣いできるのは、日本人の特性だと思うけれど、相手の立場になって考えないと、せっかくの、おもてなしが、日本人は〝小気〟だと言われかねない。中国語をやってよかったなと思うのは、中国人の生き方、考え方を知って、大げさだけど、二人分の人生を送れるような気がすることです。言葉にあらわす例でも、表現を対比すると、面白い日中の差異があるね。知り合いの家を訪問して、「近くに来たので、ついでに寄りました」って言うのは失礼で、「お宅に、特にやって来ました」って言ったほうがいい。日本人だったら、特に、わざわざ、と言ったら、相手にかえって気を遣わせる、と思うけど、〝特意〟tèyì と言って、「わざわざ来ました」のほうが相手に礼を尽くしているんですね。贈り物で「これ、あなたのために買って来たのよ」と言うほうがいいと言うね。日本人もそう言う時があるけど、とかく「たくさんあるから、あげます」とか、「私は使わないから、あげる」なんて、相手に気遣いさせないように、心遣いをする。中国人には通用しないね。

——確かにそうですね。以前、中国の友人の実家に遊びに行く機会があって、何か日本の珍しいお菓子でも買っていこうと思ってどんなのが良いか中国人の友人に相談したのですが、「質も大事だけど、もらった人が近所の人や知り合いに配れるように数もあると良い」と言われたのは印象的でした。

二度目、三度目の中国

輿水　文革は一九六六年からの、失われた十年と言われますが、その二年目に、日本の中国語教員を招待し、接待するのは、中国科学院にとって大変な仕事だった、と思います。以前、北京大学の陸倹明さんが旅行記を書けと、しきりに勧めてくれました。日本人にとっても、当時は、中国が招待する方式以外、中国に行くことが出来ませんでした。こちらから訪中を希望して、お願いしても、なんらかの〝接待単位〟jiēdài dānwèi（受け入れ機関）が招待し、〝应邀〟yìngyāo（招きに応じて）訪中となるんです。私たちの第二次代表団は中国科学院の招待で、旅費は中国側が負担したのですが、実際には、香港往復と滞在、その他に相当する経費を、協会に寄付として納めました。

――第三次の訪中団が再開されたのはいつですか？

輿水　いや、第三次はありません。私たちを接待するだけでも大変だったでしょう。文革の状況は、むしろ、あれから後の方がいろいろあったから。

――先生の、二度目の訪中はいつだったのでしょうか。

1975年、文字改革視察団訪中時、長城への途中、居庸関。

輿水　一九七五年二月に、文化庁派遣の、文字改革調査団の一員として、北京と上海に、あわせて十日間、二度目の中国に行くことが出来ました。文革の収束は一九七六年十月とされていますから、文革末期ですね。教育部と文字改革委員会が受け入れてくれました。文革中ですから、教育部も正式には教育部革命委員会です。文字改革委員会は、もともと教育部と同格というか、各省並みの機関でした。後年、文字改革が一段落して、言語文字工作委員会となり、たしか、いまは教育部に属す機関ですね。メンバーは、国立国語研究所前所長の林大先生、東大文学部教授の松村明先生、文化庁国語課専門官の安永実さん、それに私の、合計四人、林先生が団長でした。安永さんは、東大で私より一年上の、中哲を出た方です。国交が正常化しているし、パスポートやビザも問題ありません。用務に照らして、後にも先にも初めての、表紙が緑色の、公用旅券が発給されました。北京に着くなり、中国側の通訳を介して、調査団の名称が文化庁派遣の中国文字改革等調査団では、『人民日報』に出稿するのに適していない、と言われました。まず、文化庁の「庁」が中国語ではホールの意味になってしまうから、文部省に変えてほしい。さらに、中国文字改革調査団では、中国が他国に行って調査することになる、と言うのです。だいぶ話し合いましたが、結局、新聞掲載は、日本文部省中国文字改革考察団となっていました。〃名正言顺〃míng zhèng yán shùn（名義が正しければ道理が通る）ということですね。後年、『中国语文现代化百年记事 1892～1995』（語文出版社　一九九七年）の一九七五年二月二十六日の項には、〃应文字改革委员会的邀请，以日本国语审议会委员、国立国语研究所所长林大为团长的日本文字改革访华团，前来我国北京、上海访问。〃Yìng wénzì gǎigé wěiyuánhuì de yāoqǐng, yǐ Rìběn guóyǔ shěnyìhuì wěiyuán, guólì guóyǔ yánjiūsuǒ suǒzhǎng Lín Dà wéi tuánzhǎng de Rìběn wénzì gǎigé fǎnghuátuán, qiánlái wǒguó Běijīng、Shànghǎi fǎngwèn と、記録が記されていました。あっさり、「日本の文字改革訪中団」とされています。

この二度目の中国はまだ文革中でしたが、空港や見学先などで語録を朗読させられることもなく、双方がそれぞれ知りたい「文字改革」の状況について学術的に意見交換ができました。エスペランティストで、高名な葉籟士さんをはじめ、専門家の方々にも会えました。幼稚園から大学まで、学校を見て回り、なにより授業参観で〝普通话〟pǔtōnghuà（共通語）や〝简体字〟jiǎntǐzì（簡化字）、〝拼音字母〟pīnyīn zìmǔ（ピンインローマ字）などの教育の現場を実地に見られたことは、第一回の訪中時とは天地の差で、充実した旅でした。外国人留学生の中国語教育を行っている北京語言学院も訪問しました。私の役割は、別に何も指示は無かったのですが、当然、通訳、翻訳の用務があります。団長の挨拶をはじめ、公式の場所では、あらかじめ用意も出来たので、任務を果たしたんですが、訪問先では、おおむね先方の通訳担当者に任せることにしました。あれこれ見聞することに集中したいから。それで、向こうの通訳から、先生がやってください、とクレームが出たこともありました。実は、羽田を発つ朝、中国大使館からも見送りの方が来ていて話しかけられたんですが、周囲が騒がしいのと、早口だったのか、十分に聞き取れず、ちょっと気が滅入っていたんです。ところが、北京に着いて、文字改革委員会の私たちに対する世話役として、上海からの帰国時まで付き添ってくれた方のしゃべる言葉が、半分眠っていてもわかるような、明晰な中国語で、一字一句みな聞き取れる。言葉の不安が解消しました。孫修章さんという方でした。専門のお仕事のことをお尋ねもせず、日本に戻ってから調べてみたら、なんと、もっぱら〝拼音教学〟pīnyīn jiàoxué（ローマ字教育）や〝小学语文〟xiǎoxué yǔwén（小学校の国語教科書）のレコード、録音テープなどの吹込みや監修をされている方でした。いわば発音というか、話し方、朗読の第一人者だったんですね。道理で、と思うと同時に、同行していただきながら、ご専門のお話を伺う機会を逃し、残念な思いをしました。

孫修章さんが長春の人であることは伺っていたんですが、よく言われるようにアナウンサーなどには東北人、とりわけ長春の人が最適などと言いますね。上海の農村で人民公社の二十三歳だという若者の話を聞いた時のこと、外国人が相手だから、若者は当然、中国側の通訳に上海語でしゃべるんです。そうしたら孫さんが、中国語のわかる人がいるから、〝普通话〟pǔtōnghuà（共通語）で話すようにと諭した。すると若者はテレビのチャンネルを変えたかのように、その瞬間から自然に共通語に切り替わったんです。それで私の出番になって通訳したら、孫さんが若者に、共通語で話せばこの通り外国人だってわかるんだから、と教育していました。帰国後、私たちの訪中報告に関心が寄せられて、『言語生活』誌の一九七五年六月号に誌上座談会が掲載され、またＮＨＫ教育テレビで、「当用漢字と中国の文字改革」と題する教養特集が放送されました（一九七五年五月二十五日）。私もそれぞれ参加しました。テレビ出演は、中国語講座より前のことで、初体験。外語大で私の最初の学生だった鈴木公アナウンサーが司会をしてくれました。教育テレビはまだモノクロの時代でした。

三度目の訪中は、文革収束後まだ半年ほどの、一九七七年三月から四月にかけて十五日間、上海、西安、延安、北京の順に回りました。日中学術懇談会が企画した「日中友好大学教員訪中団」で、二十人を越す大型の学術関係訪中団は文革後初めて、とのことでした。当時は、個人で訪中することは無く、団体を組んで行きました。送り出しは日中友好協会、受け入れは中日友好協会だったので、北京では廖承志[81]会長との会見もありました。日中学術懇談会とは、一九七五年ごろから、政府間の留学生派遣に先駆けて、民間ベースで中国からの留学生の来日が始まり、派遣先の大学を求めたり、来日後の学習援助をしたり、あわせて学術研究の交流を果たすという趣意で立ち上げられた組織です。一九七五年に立教大学と創価大学、翌年はさらに東京、大阪の両外語大も留学生を引き受けました。駐日大使の程永華さんは、当時創価大学

81　廖承志…（一九〇八〜一九八三）中国の政治家。東京で出生、東京で育つ。孫文の盟友であった父の廖仲愷が暗殺され、一九二八年に中国共産党に入党。新中国成立後、党の対外活動の責任者を務め、日中国交正常化を含め対日外交に尽力した。中日友好協会会長。

の留学生でした。懇談会の代表は立教大学の宮川澄[82]先生、後に東京女子大の山根幸夫[83]先生が尽力されました。山根先生は明代を専門とされる東洋史の研究者、私は東大の授業で聴講しました。

私にとって、この三度目の訪中では、上海で復旦大学、西安で西北大学、北京で北京大学の正式訪問が出来たこと、革命の聖地と呼ばれる延安に行けたことが大きな喜びでした。上海から西安に空路で移動する時に、黄砂のため視界不良、途中で飛べなくなり、予定外の鄭州一泊となって、黄河の川べりにも行けたこと、西安から延安の空路はアントノフという旧ソ連製の古い、小さな飛行機で、翼につぎはぎの修理跡があったこと、などが印象に残っています。延安は、季節的にも土ぼこりがひどく、黄土高原を実感できました。外出からホテルに戻ると、頭から足まで、土ぼこりをはたき落とすんですが、馬の革を短冊形に切って束ねた、短い鞭の束のようになった、珍しいはたきが備品にあって、力を込めてはたくと、衣類の繊維の目からほこりが浮かび上がるように叩き落とせました。毛沢東の旧居などの見学は、やはり感動しましたね。〝窑洞〟yáodòng（崖に掘った洞穴式住居）は、たしか西安郊外でも見学し、〝百闻不如一见〟bǎiwén bùrú yījiàn（百聞は一見に如かず）と思ったけど、飼い犬も身の丈に合わせて掘った横穴に入っていました。

北京大学で過ごした一年

――文革収束後の一九七八年から七九年に北京大学で一年間の研究留学をされたそうですが、長期間の中国滞在はいかがだったでしょうか。

輿水　一九七八年の北京大学ですね。それではまず、そのいきさつから話します。当時、東京外語大で、私の恩師である先生方は、年齢からして、当然みんな中国に行ったことがあるし、留学した方もいる。ところが私は四十過ぎて、留学はもちろん、生活体験が無い。国立大学には文部省の在外研究員という制度があって、外国語に限りません、どんな専攻でも外国で留学、あるいは研究が出来ます。希望者が多いから順番が回って来ないこともあるけど。大事なこと

82　宮川澄…（一九一七～一九八一）早稲田大学法学部卒業、同大学大学院修了。早稲田大学で教職に就き、立教大学に移り、同大学教授。日中学術懇談会を主宰。著書に『旧民法と明治民法』（青木書店）、『日本における近代的所有権意識の変遷』（青木書店）。

83　山根幸夫…（一九二一～二〇〇五）東京帝国大学卒業。専門は明代史。東洋大学を経て、東京女子大学教授。日中学術懇談会運営に当たる。『中国史研究入門』（山川出版社）、『建国大学の研究―日本帝国主義の一断面』（汲古書院）。『近代中国のなかの日本人』（研文出版）。

1978 ～ 79 年冬、北京大学留学時、友誼賓館の自室、中国の冬服で。テレビは駐在記者からの借り物。

1979 年夏、北京大学外国人留学生の旅行に同行。内モンゴルの草原で。

は年齢制限があって、期間は通常一年だけど、五十歳を越えると半年とか、三か月になる。でも、中国語の教員だけは、国交正常化までは、中国に行きたくても行けなかった。他の国や地域に行ってもいいんですが、誰も大陸の大学に留学したい。中国語以外の教員は次々と留学するので、当時の学長である坂本是忠先生が、モンゴル語専攻の方ですが、とても心配されて、関係機関に働きかけてくださった。ちょうど一九七六年から、中国からの留学生を国立大学としては初めて受け入れていたし、一九七八年一月には、単独の大学として初めてという東京外語大代表団を中国に派遣したり、大使館との意思疎通も図れていたんです。少しオーバーな表現ですが、坂本先生は大使館に日参するぐらい出かけて、学長がそんなに来ないでいいって言われたとか聞いています。

その結果、外語大の中国語教員を中国側が受け入れ、あちらの日本語教員を外語大が受け入れることになり、文部省の外郭団体である学術振興会が、中国からの教員の経費を負担することで実現したんです。学術振興会などが中国政府との正式な協定を結んだのは後のことです。日中両国政府の公費留学生派遣は一九七九年からでした。私にとっては急の話でしたが、希望の大学に行かせるということで、北京大学中文系をお願いしました。新学年の九月から、という日程が近づいたころ、ビザの手続きも必要で、中国政府が費用を負担して招いてくれるわけですから、中国大使館に行きました。大使館では、中国政府は毎月の生活費をいくら出したらいいか、初めてのケースでよくわからないから、いま留学生が一か月百元なので、教師であるあなたには二百元にした、もしこれで問題があれば中国に行ってから、あちらで話してください、と言われました。先生だから学生の二倍という、発想はなんとなく中国的だと感じました。

中国政府の教育部の招きによる渡航だから、フライトは中国民航で、九月二十六日に成田を出ました。中国の飛行機は、朝あちらを出て、昼過ぎに日本に着いて折り返すから、北京到着は夜になってしまう。二十時二十分着だった。いまとは飛行ルートが違って、あのころ北京行きは、鹿児島の桜島を見てから海上に出て、上海に近くなってから大陸を北上したんです。現在のように朝鮮半島を横断できなかったから、直行便でもかなり時間がかかった。空港には北京大学から陸倹明先生が出迎えに来てくれていた。陸さんは中文系で、私の担当者。失礼ながら、いわば世話係を委嘱されたんでしょう。それからほとんど毎日、顔を合わせる生活でした。当時は、都会でも中国の夜は、いかにも夜、空港を出ると、深夜のような感じだった。北京大学に着くと、用意されていた宿舎は、男子留学生用の二十六楼という、南門を入って右手二つ目の建物。手前の二十五楼は女子留学生の宿舎。男子留学生の居住者は百二十人ぐらい、うち日本人は二十七、八人。当時、日本人留学生は日中友好協会が公募して送り出した人と、国際貿易促進協会が送り出した人がほとんどで、ふつう中国留学は、その二つのチャンネルしかなかった。

宿舎に着くとすぐ、留学生は二人一部屋だけど、あなたは先生だから一人一部屋にすると言われ、個人専用の、南向きの部屋に入りました。留学生は、ふつう〝陪读生〟péidúshēngと呼ぶ中国人学生と相部屋。当時の大学は一九七七年に文革後初めての試験があり、七八年春に復活した入試で入った学生たちが主でした。私の部屋は二階で、階下の正面入り口が見渡せ、さらに南門から図書館に通じる大通りも眺められ、部屋割りとしては申し分ないんだけれど、電灯が暗く、そして毎晩のように停電がある。電灯は、大学に限らず中国は一般的に暗いので、日本人は自分でワット数の大きい電球に換えると聞き、私も早速取り替えました。どうして停電するかというと、十月に入ると中旬近くは、北京はもう寒いんです。それで外国人、特に欧米人はみんなヒーターを使う、一キロワットの。すると電気の使用量がオーバーしてヒューズが飛び、宿舎全体が真っ暗。欧米人はそのまま静観してるんだけど、日本人は器用で、留学生の誰かが、針金かなんかで、昔はブレーカーじゃないから、開閉器のヒューズの飛んでしまったところを繋いで、修理完了。ふつうは、翌朝まで我慢して、〝师傅〟shīfuと呼んでいる労働者に直してもらうことになるんです。ヒーターは使用禁止なんだけど、みんな使っているらしい。中国人学生の宿舎よりは早くスチームが入るそうだけれど、スチームが入る前の気候はとにかく冷える。私はちょっとためらったが、やっぱり寒いので、遠慮というか、〝小气〟なんだけど、五百ワットのヒーターを買って来た。

ちょうど同じころ、外語大から手紙が来た。私が現地報告をしていなかったので、問い合わせが来てしまったのですが、私と入れ替わりに東京外語大に来た方の詳細を知らせて来た。蘇徳昌さんという復旦大学の日本語の先生でした。蘇さんの父上である蘇歩青さんは日本の東北大学出身の高名な数学者で、その夫人、つまり蘇徳昌[84]さんの母上は日本人です。父上は当時、復旦大学の学長でした。外語大の研究室からの手紙で、学術振興会の蘇さんへの待遇が、一か月三十万円支給、借り上げマンションの経費も日本側が負担する、ということがわかった。借り上げた時の事情は知らないんですが、明治学院大学の榎本英雄[85]さんがちょうど自分の家をマンションに建て替えたところで、そこに部屋を借りて住まわせたんですね。後年、そのご縁で、榎本さんは復旦に研究留学しました。私は返事を求められ、支給される金額や、宿舎の状況、日常生活などを書き送りました。夜は停電したりして、寒くてふるえています、みたいな文面だったかも知れない。ちょうどそのころ、岡山大学の高島俊男[86]さんが、北京大学にふらっとやって来たんですよ。よく私の居所がわかったと思う。そんな時だから、泣き言を聞いたと感じたんでしょう。帰国後、『東方』誌に書かれちゃった。

高島さんは、北京大学に行ったばかりの輿水に会った、そうしたら、来なきゃよかったと泣き言を言ってた、とか書いている。とにかく状況をありのままに話したからでしょう。東京からは、また手紙が来て、中国側の待遇が次に行く人の前例になっては困るから、日本側の待遇はこうなんだ、と話をしてほしい、と言って来た。仕方がないから、北京大学の外事事務室である〝外办〟wàibàn と留学生事務室である〝留办〟liúbàn の主任に会って話をした。そうしたら、北京大学では対応が出来ない、その代わり寒さ対策に、これを床に敷いて、と言って古い毛布を持って来てくれた。床って、コンクリートのたたきですからね、冷えるのは当たり前。古い毛布を絨毯代わりに、ということです。それから冬になると、隙間風対策に、窓に目張りをするんだけど、早めにしてあげる、とか言ってくれた。そして、これ以上は教育部に手紙を書いてくれって言うんです。

84 蘇徳昌…（一九三五〜）仙台で出生、中学まで母方の祖母の元で育つ。一九五五年に上海で高校卒業、北京大学数学力学系に入学。卒業後、助教となるも一九六二年復旦大学大学院に進み、助教となったが、外文系で日本語教育に二十七年間従事し、同大学教授。一九七八年、最初の学者交流として東京外国語大学と国立国語研究所に研究留学。一九九三年、奈良大学教授。

85 榎本英雄…（一九三六〜）東京外国語大学卒業。上海復旦大学に研究留学。明治学院大学教授。一九八一年から二十年間、NHKテレビ講座講師を担当した。著書『エクスプレス中国語』（白水社）、『7つのパターンでよくわかる中国語初級文法』（NHK出版）。

86 高島俊男…（一九三七〜）東京大学で経済学部に学び、銀行勤めをした後、文学部中国文学科に入る。水滸伝を主に、中国文学の研究を続け、岡山大学に務めていたが、辞職して、在野の研究者となる。研究領域の著書『李白と杜甫』（評論社）、『水滸伝の世界』（大修館書店）以外に、雑誌に多年連載の『お言葉ですが…』（文藝春秋）など、エッセイ、評論に文才豊かな筆をふるう。

結局、私は一日がかりで、教育部あてに、東京では私と交換で行った先生はこういう待遇を受けている、それに対し私は……、と手紙を書いた。その時の下書きがまだ残っています。宛名を教えてもらい、郵便ポストに入れたんだけど、すぐ三日目に返事が来た。対応が早いですね。北京大学に託したら、もっと時間がかかったかも知れない。それで、教育部はどうしたと思いますか。北海公園の中の〝仿膳[87]〟Fǎngshàn に何月何日に来てください、というご招待でした。〝仿膳〟と言えば、清朝の宮廷料理。当日は朱徳熙先生が、付き添いで同行された。中国政府関連の仕事をしている外国人、つまりお雇い外人を〝专家〟zhuānjiā と呼び、〝专家〟を管理する役所が国家外国専家局、略称外専局で、たとえば日本語の『人民中国』誌を出している外文出版社で働く日本人などを管理している。北京大学で日本語を教えている日本人の先生なども同様です。私は、教育部が招いた初めてのケースだからか、お雇い外人ではないからか、外専局ではなく、教育部の〝专家署〟zhuānjiāshǔ とでもいうのかな、その担当官が〝仿膳〟でご馳走してくれた。そして、毎月の生活費二百元は三百五十元に改める、宿舎は専家の居住する友誼賓館に移すが、北京大学の留学生宿舎の部屋もそのまま使用してよろしい、と待遇改善の回答がありました。友誼賓館は、元はロシアの専門家のために設けた宿舎で、当時は各国からのお雇い外人のマンションであり、またホテルとして営業している区画もありました。すでに一か月余り生活した北京大学の部屋も引き続き使えることになり、なんと北京に二か所の住居ができたことになりました。

友誼賓館に移ると、なによりのメリットとして、専家局の管轄下だから、お雇い外人と同様に、友誼賓館の〝车队〟chēduì と呼んでいたけど、お雇い外人専用のハイヤーも使える。昼夜を問わず、その受付窓口に行って〝要车〟yào chē（車をお願いします）と言えば車を出してくれるから、北京大学はもちろん、友誼商店や王府井あたりへ買い物に行くにも便利になった。外国人専用のシャトルバスもある。それまでは市内へのバスが混雑と乗り継ぎで苦労だった。その時すでに自転車を買っていたから、当初は、大学へは友誼賓館から四㎞ほどの道を自転車で行き来したけど、路面が凍結するようになったら自転車は控えるように、と陸さんに言われた。道路はまだ自動車が少なかったから、自転車で頤和園やら、北京動物園あたりまでは楽に行かれた。お雇い外人専用のハイヤーは、外出先から電話で呼び出して迎えにも来てくれるので、市内居住の友人宅から深夜の帰宅などにも使った。なにしろ流しのタクシーなんて皆無の時代だから。商社駐在員の同級生を、会食後に同乗で自宅に送って喜ばれた。でも、友誼賓館

87　仿膳…北京の北海公園内にある料理店。清朝の宮廷料理を模したメニューが有名。

で通勤時間に車を使うお雇い外人とは異なる時間に、〝要车〟と頼むので、変な日本人と思われていたかも。そのころ、実は運転手は日本語がわかる人たちだとも言われていた。運転手たちにとって、毎日通勤しない人間は不審だったことでしょう。

友誼賓館で、仕事をしていない日本人は私だけでした。朝の早い中国で、通勤タイムが過ぎて、のんきに、大学に出かけるから、日本人みんなに変な人と思われたかも知れません。当時の日本人居住者の名簿を見ると二十八世帯、単身者あり家族ありで、一同揃ってレクリエーションなどに出かければ、バス一台はもちろん必要でした。解放前から中国にいて、留用その他の事情で戦後もずっと居住の方もあり、それぞれ学校や、出版社などで、日本語にかかわる仕事をされていました。私の部屋は四階の2DK、同じ棟の二階には、東洋大学の横川伸[88]さんのご両親がお住まいでした。伸さんの兄上は日中文化交流協会勤務です。お父上の横川次郎さんは旧満鉄の調査部でお仕事をされていた研究者です。中国で革命に貢献した外国人として何十人か名前の挙がる、お一人です。東京を出る前に、伸さんに北京行きの話をしていたので、横川家では私が一向に現れず、不思議に思われていたそうです。当初、外国人が居住する友誼賓館に入らなかったからです。それからの一年弱、横川さんには大変お世話になりました。

友誼賓館に落ち着いてしまうと大学の様子がわからなくなるので、週に二、三日は留学生宿舎にも寝泊まりしていました。朝の早い聴講や行事があると、前夜は大学泊まり。留学生がバスを仕立てて、市内に芝居や映画を見に行くことがしばしばあって、帰りが遅くなり、バスは途中で停まってくれないから、その時は大学へ戻って泊まる、というように使い分けをする生活。そうするとうまい具合に、同じ芝居が二度見られるんです。たとえば、「駱駝祥子」の芝居を北京大学からも見に行くし、友誼賓館でも専家局がお雇い外人を案内して見せる。同じ活動に再度行きたければ、行かれるんですよ。出し物によって両方行ったこともあります。友誼賓館も使えるメリットは、留学生食堂で変わりばえしない食事を食べずに、友誼賓館の専家食堂で食事ができることでした。日替わりのメニューから中華、洋食、時には和風まで選べる夕食が、横川先生をはじめ、同じテーブル同士で談論風発、その日に体験した中国発見が主な話題で、楽しいひとときになったことでした。友誼賓館ではじめは、労働していない、変な奴が来たって思われたかも知れないけれど、次第に溶け込んだつもりです。一方、同じころ、徐々に先住者の顰蹙を買うような居住者が増えてきました。ハイヒールを履いて人民大会堂の行事

88　横川伸…（一九四〇〜）中国遼寧省大連市で生まれ、四川大学卒業。一九六八年帰国。中国研究所勤務を経て、東洋大学教授。その間、東京外語大講師を二十三年間務める。著書『読解中国語』（共著、白帝社）、『ひとり歩きの中国旅行会話』（東方書店）。

に行ったとか、日本大使館によく行っているとか、うわさがたつ。友誼賓館の日本人は、みな日中友好を掲げ、民間交流を重んじ、大使館とは縁を持たないという気概があった、と思う。仲間意識が強く、だれかが一時帰国すると言えば郵便物やら月餅や薬品の配送を託すとか、隣組といった親密さがあったんです。私は大使館に到着の挨拶には行きました。それから、現地在住の日本人は、新年になると大使館に招いてくれるんで、その時も行ってみました。後にも先にも、その二回だけ、郷に入れば郷に従い、友誼賓館の先住者に、ほぼ倣ったつもりです。でも私の帰国するころになると、教育委員会から派遣の日本語教員とか、以前とは異なる出身の方々の入居が増えて来ました。それだけ交流が深まったんですね。大きな差異は、それ以前は中国や中国語に相当の理解を有していた人が多かったことだと思います。

教育部に手紙を書いた結果、うれしかったのは、私のステータスが変わったことでした。北京大学で到着早々に渡されたバッジ〝校徽〟xiàohuīが、幅一・五センチ、長さ四センチほどの横長で、〝白底红字〟báidǐ hóngzì（白地に赤字）で毛沢東の筆になる「北京大学」と記された、学生用のものでした。教職員は〝红底白字〟hóngdǐ báizì（赤地に白字）なんです。当時、多くの大学に共通のデザインでした。〝校徽〟をつけていないと校門を入れません。なによりも、図書館で教職員だけ利用可の閲覧室に学生用バッジでは入れないのです。東京で中国大使館からもらった文書を見ると〝…同意與水优先生于九月份去北京大学进修中文…〟tóngyì Yúshuǐ Yǒu xiānsheng yú jiǔyuèfèn qù Běijīng Dàxué jìnxiū Zhōngwén（與水優先生が九月に北京大学に赴き中国語を研修することに同意し）とあるので、〝进修生〟jìnxiūshēng（研修生）であれば、教員でも留学生という扱いになり、白地のバッジなのか、と気づきました。教育部の待遇改善によって、教職員用の赤地のバッジが渡され、書類には〝访问学者〟fǎngwèn xuézhě とか、〝专家〟の称号が記されることになりました。

その年は、九月の学期に朱徳熙先生の授業は開講が無く、林燾先生の音声学と、陸倹明先生の現代語法を聴講することにしました。中文系の事務室のある建物〝五院〟wǔ yuàn の階上には資料室があるのですが、しばらく時が経ってから、朱徳熙先生の計らいで利用可となり、また教員バッジになって図書館の教職員閲覧室にも入れることにもなり、おおむね毎日午前中を聴講か、資料探索と筆写にあてました。資料室では、書架から日本では見られない図書雑誌を見つけることに専念し、図書館では地方の新聞雑誌を揃えた定期刊行物の閲覧室で過ごしました。実は、少し不遜な物言いですが、私は中国に来ても、なにか特定の、あるいは、なにか目指す、研究テーマなどは考えずに、一年四季の自然と生活の移り変わりを実感すれば十分だ、と決めていました。他に『中国語図解辞典』の仕事を中断して留学となったため、その資料集めはしたいと思っていました。実際、ある時、雑誌のバックナンバーで必要が生じたのですが、中国では探し当らず、東京からコピーを送ってもらったこともありました。文革直後の当時だから、資料集めにはあまり執着しないことにしていました。時に、資料室で見つけた本が日本の戦争直後のように、あちこち墨で黒々と、文革中の例文だけ塗りつぶしてありました。

午前中、資料室か図書館で過ごし、昼食後は自転車で周辺を探訪することが多く、また留学生の多い北京語言学院[89]が、郵便局でもクリーニング店でも、外国人の対応に慣れているので、当初はやはり自転車で行き来しましたが、友誼賓館に移ると日常生活で生じる雑事は館内で用が足り、語言学院などに行く手間が無くなりました。北京大学は解放前の燕京大学のキャンパスを含め、広い構内を移動するには自転車が必須で、学外では円明園、頤和園、それに頤和園から流れる運河（京密引水渠）沿いはサイクリングに格好の場所でした。円明園は、北京大学の裏手です。いまはすっかり観光地だけれども、当時は全く荒れ放題の廃墟、人の姿が少ないところでした。北京大学に来て間もないころ、ローマの遺跡みたいな円明園で、倒れた石柱に座っていたら、乗用車が来て、遠くからだけど、明らかに日本人とわかる人物が、管理の係員と言葉を交わしている。声は聞こえないが、しばらく前に大使館にご挨拶に行った時に紹介された、京大のK先生のようだった。円明園の見学に来られたのだろうか。まだ留学生のバッジのころだったから、季節的にも荒涼とした廃墟を背景に、なんとなくわが身の悲哀を感じたことでした。

北京大学に着いた翌日、〝留办〟の主任が部屋に来て〝有什么打算？〟Yǒu shénme dǎsuàn?（どんな計画を立てていますか）と希望を聞かれたのですが、新学年にもかかわらず、朱德熙先生の授業は開講せずで、期待がしぼみました。北京大学行きが決まってから、北九州大学の望月八十吉さんにお知らせしたら、いま中国に行っても、先生と言える人は朱徳熙さんしかいませんよ、という手紙をもらっていたんです。次の学期、つまり春節後の学期には、朱先生の授業が開かれました。教室の席取りが大変でした。私は録音もしたいので、早めに行くのですが、〝回炉生〟huílúshēng と言って、卒業生が学校に戻って授業を受ける、そういう聴講者も多いんです。講義は、先生が以前執筆された論文の解説と再検証のような方式で進められました。陸倹明さんの授業は熱弁そのもの、中文の学生たちに語法概要を説き、毎回ガリ版、謄写版印刷のお手製プリントを何枚も配り、練習問題の宿題まである。宿題は添削して返却してい

89　北京語言学院…語言とは日本語の言語に相当。外国人に中国語を教授するため一九六二年に設立した外国留学生高等予備学校が前身。一九六四年に高等教育機関として、北京語言学院を設立、一九九六年に北京語言文化大学と改称、さらに二〇〇二年に北京語言大学と改称し、現在に至る。

た。留学生の聴講者も多かった。私は聴講だけで宿題はやらなかったけど、後から考えたら出席だけで失礼だった気もするし、せっかくの聴講がもったいなかった、と感じました。

待遇改善で、日常生活の苦労が減ったけれど、後から考えると、留学生宿舎での暮らしで知り得たことは、私の中国理解に大いに役立った。むしろ、はじめからホテルやマンション暮らしでなくてよかった、と思いました。留学生宿舎では、外出しても、留学生食堂の食事時間に合わせて戻らないと、食いっぱぐれる生活。〝粮票〟liángpiào（食糧切符）が無いと、外では食事もできない、食品も買えない時代でした。留学生は、中国人の友人からもらったりしていました。留学生宿舎での入浴は共同浴場のシャワーですが、入浴の時間と夕食の時間が全く重なっているんです。夕飯を食べるか、シャワーか、選ばなければならない。昼にちょっと〝馒头〟mántou（マントウ）などを、食事のついでに買っておく。それでその日はシャワーに行くんだけど、シャワーは、ひとしきりお湯が出ると切れてしまう。冬なんかは、お湯の出る時に洗濯もしないと、洗濯機なんか無いから、冷たい水で洗わなきゃならない。お湯の出る時間が決まってるから、その間にシャワーもやって、洗濯もやるんです。

留学生宿舎で、毎朝最初にすべきことは、魔法瓶を提げて、別棟のボイラー室にお湯汲みに行くこと。湯茶に使うだけでなく、顔や手足を洗うにも使うから、魔法瓶を数本用意するか、お湯汲みを一日に数回する必要がある。就寝前に、このお湯で体を拭うのも〝洗澡〟xǐzǎo と言うとか、洗面器より大きめで足を洗うための〝洗脚盆〟xǐjiǎopén があることを知りました。朝のひと時は、ボイラー室に行列が出来る日もあり、厳冬には身支度も必要でした。友誼賓館では、前の晩に空になった魔法瓶をドアの外に出すだけ、日中も魔法瓶を取り換えに来てくれる。留学生宿舎では、外線から電話がかかると、階下の受付にいる〝师傅〟が大声で呼んでくれるから、呼ばれたら飛んで行きました。外線にかけるなら、その受付で電話を借りる。郵便は、出入り口の大きな机に、配達員がまとめて置いて行くので、めいめい取りに行く。いつまでも置いたままだと、他人に見られてしまう。中国で、葉書をほとんど使わなかったり、封書で差出人を記さない例があるのは、こういう配達の習慣のためかな。だから、大事な手紙は書留で送ってもらったほうがよい。『中国語図解辞典』の資料収集のため郵便局に行った時、絵葉書は売っているけれど、官製葉書を求めたら、需要がないのか、あちこち探して、やっと取り出して来たことがあった。郵便物の扱いでは、友誼賓館で私が予約購読している雑誌が配達されると、印刷物で開封だから、受付の服務員が勝手に取り出して読んでいたり、仲間で回し読みしてから、部屋に届けて来ることがありました。服務員の部屋に〝随到随送〟suí dào suí sòng（着いたらすぐ届ける）という標語が掲げてあったけど、守れないから必要な標語なのかしら。

留学生宿舎は、およそ世界各国の縮図みたいなもの、一つ屋根の下に、様々な習慣が同居している感じで、中国とは限らない、様々な考え方に遭遇する場所でした。中国人の目という点で面白かったのは、宿舎が男女分かれていても、交遊や交流は当然で、留学生が男女二人で歩いている姿は珍しくなかったけど、日本人には到底カップルとは思えないのに、陸さんなどから、あの二人は結婚するのか、と真顔で尋ねられることがありました。逆に、私たち日本人からすると、中国人の男性同士が二人で手をつないで歩く姿に戸惑った。中国人と握手して、いつまでも手を握られ、次第に汗ばみ、気持ちが悪い思いをすることも少なくないですね。後年、北京大学の留学生宿舎、留学生食堂は西門から入った勺園に大規模な施設が出来て、移転してしまったけれど、あそこでは外国人居留地みたいで、隔離状態。私のころの宿舎は天下の形勢というか、大学や学生の動きが見てとれる絶好の場所だった。学内で大きな集会があると、小さな腰掛を手にした人々の流れを眼前に出来るし、少し歩けば〝大字报〟dàzìbào（壁新聞）のメッカである〝三角地[90]〟sānjiǎodì に行かれるし、郵便局や売店も近かった。

毎月支給される生活費が三百五十元になって、住居費も水道光熱費も無償だから、お金の使い道が無かった。北京大学に着いてから、支給される金額の何割かは本国に送金できる、なんて説明もあったけれど、そんな気持ちは無いから詳しくは覚えていません。品物の品質はともかく、物価が安かった。とにかく〝毛〟máo や ら〝分〟fēn の単位の買い物が多かった。ただ、食糧切符や衣料切符が無いと、お金があっても買えない品があるから、外国人にとっては不自由でした。私は、すべて現地調達を旨としていたので、寒くなっても冬物の衣服の持ち合わせが無く、買う必要があったんです。寒冷地では、帽子や靴も防寒仕立てでないと、頭の芯から、足の先まで冷えることを初めて体験しました。特に教室の床がコンクリートのままだと、ブーツか、綿入れの靴が適している、と悟った。いわゆる人民服、〝中山装〟zhōngshānzhuāng をまず買ったけれど、冬は二枚重ね着するので、大きめのサイズを買うことを知った。綿入れの衣類は、〝棉裤〟miánkù（ズボン）、〝棉大衣〟mián dàyī（オーバー）、〝棉袄〟mián'ǎo（中国式上着）なども揃えた。〝布票〟bùpiào（衣料切符）以外に、〝棉花票〟miánhuāpiào（綿入れ製品切符）を留学生事務室に申請して購入できた。帰国の際に迷ったけれど、持ち帰ったら、その後テレビ講座のスキット収録の衣装に役立ちました。街で食品を買いたくても、何か食べたくても、〝粮票〟liángpiào（食糧切符）が無いので指をくわえるばかりだったけど、友誼賓

90　三角地…北京大学のキャンパスのほぼ中央、百周年記念講堂の南にある小さな広場。前世紀の七、八十年代、学生のデモ行進が必ず通り、掲示板には〝大字報〟（壁新聞）が貼られ、学内の活動の消息を知ることが出来たが、二〇〇七年にこの掲示板は撤去された。

館のおかげで、館内で朝食用のパンの調達をはじめ、不自由しなくなりました。当時、外語大の先輩である、東方書店の神崎勇夫[91]さんがご家族でお住まいでしたが、夕食のころ誘われて、よくビールのお相手をしました。神崎さんは夕食はビールを飲むだけ、お米は海苔を巻いた煎餅しか食べない、なんて聞いたけど。ビールは、友誼賓館だと五星ビールの大瓶が五毛なんです。よく買いました。

——五毛ですか？

輿水　そうです。最近読んだ中国の本では、一九七八年ごろの十元は、いまの一千元に当たるようですが、まあ品物の種類にもよりますね。それに、あの年は私の帰国直後に物価などの価格調整で、変化があったはずです。私の三百五十元の根拠がわからないんですが、当時、お雇い外人の月給は五百から七、八百元ぐらいで、日本人は欧米人にくらべて低い、と聞いたことがあります。勤務形態にもよるでしょうし、正確にはわかりませんが、私の生活費は働いている人の半分、といった感覚でしょうか。支出は、食費は留学生食堂利用なら、一日三食でも一・五元ぐらいかな。中国人学生の月ぎめ賄いの費用は十数元だったと思います。中国人学生は寮生活で一か月の生活費が食費も含めて二十〜三十元ぐらいかな。教職員の大半は月給が六十元あまり、文革前からの一級教授は数百元と聞きました。いずれにせよ三百五十元は大金です。留学生は、毎月決まった日に、〝留办〟の会計係のおばさんから生活費百元をもらうんです。私も事務室に行くと、三百五十元がなぜか全部五元札なの。十元札じゃないんです、五元札が輪ゴムで数十枚まとめてある、その束がいくつかある。それを〝数一数〟shǔ yi shǔ（数えて）と言うんです。でも、係員の目の前でね、五元は小さいお札でしょ、それを数えるのは大変。それで〝没错〟méi cuò（確かにあります）って言わなきゃならない。じっと睨まれているところで数えて、やり直しするのも嫌だしね、いい加減に〝没错〟って言ったりして。そんなにお金いらないいんですよ。よく本を買いに行くけど、本だって安かったから。お金を机の引き出しに入れると、だんだん溜まっちゃって、引き出しがお札だらけになってしまった、五元札ばっかり。そのころ、だれか留学生仲間で結婚すると、お祝いには五元だか十元だか、わずかな金額、日本人同士でもね。何か買い物するのに十元使うとなると、ちょっと考えました。オーバー

91 神崎勇夫…（一九三一〜二〇〇八）東京外国語大学卒業。はじめ極東書店（東方書店の前身）、後に東方書店に勤務、同社取締役社長を務めた。その間、中国通信社、北京週報社にも勤務し、北京友誼賓館に一九七六年から四年間居住。著書『中国酔いがたり』（東方書店）、続編『夢のあと』（同）。

に言うと一晩考えた。

当時はあの〝西単[92]〟Xīdān の「民主の壁」と呼ばれた壁新聞が、特に一九七八年の秋ごろは人々を集めていました。翌年前半に、「民主」にはお上が目を光らせるようになったんですね。ちょうど文革が終わって、世の中が変わるところでした。たとえば、学内で学生のレクリエーションというのか、社交ダンスのダンスパーティーが時々ありました。夜、教室を片付けて社交ダンス。陸さんが案内してくれて見物に行きました。陸さんは上機嫌で踊っていました。男女学生、みんなワルツばかりでした。私には日本の戦後の学校教育で流行ったフォークダンス大会の光景と重なった。こちらは見ているだけで、踊らないけど、みんなダンスが珍しいんだなと思った。陸さんは〝嘣嚓嚓、嘣嚓嚓〟bēngchāchā、bēngchāchā なんて、ワルツのリズムを口ずさんでいた。そういう、新しい時代への変化の時期でした。でも、陸さんは、言っては悪いけど、そのころ住宅事情がひどかった。初めて家に招いてくれた時、教員の集合住宅だけど、トイレも台所も共同です。一室で、机が一個しかない。だから夫人の馬真先生と交代で、馬先生が家で勉強する時は、陸先生は大学の図書館で、夜の閉館まで勉強する、ということでね。後に結婚後アメリカに渡った息子さんと三人家族。陸さんって、中華料理いろいろ作れる人で、奥さんはサラダぐらいしか作らない。だから陸さんを訪ねると、私が馬真さんとずっと話している、そうすると陸さんが作った料理を運んで来るんです。当時、外国人の来客があると食品や油の特配があったと、後日聞きました。陸さんは、そういうところに暮らして、後に二回も三回も住居が変わり、少しずつ住宅事情がよくなって、いまは有名退職教授のマンション暮らしです。

私が北京大学に行って、しばらく日が経ってから、陸さんが私の希望を尋ねてくれたので、『中国語図解辞典』の話をして、『普通话三千常用词表』（一九五九年、文字改革出版社）の語彙を基準にしているから、この本の語彙にまつわる、用法も意味も、さらには語感も話してほしい、とお願いしたんです。そうしたら、冬に入ったので、友誼賓館まで出張講義に来てくれると言う。自室だからありがたいけど、週に数回、厳寒の日も、暗夜の自転車で通って来てくれた。友誼賓館は外国人の居住区だから、出入りが厳しく、陸さんは証明書の提示や手続きが必要で、さらに私のサインが無いと帰れないいんです。いまでも、当時の入館退館の苦労を聞かされます。後に『中国語図解辞典』の原稿校閲で、帰国後にも陸さんを煩わし、北京大学留学中の三宅登

92 西単…北京の、古くからの商業地域。西単を南北に通る大通りと、東西に通る長安街の角地にあった体育場の、長さ約百米、高さ二米の塀に、一九七八年から七九年にかけ、政治の自由と民主を叫ぶ〝大字报〟が多数貼り出され、「民主の壁」と呼ばれた。

之[93]さんに受け渡しと郵送を頼みました。最終段階では陸さん一家三人を招き、千葉県大原の別荘を借り、一流ホテルの中国人シェフに同宿で食事を作らせ、語彙のチェックをしたんです。日常語彙が口語で統一されるよう、陸、馬ご夫妻のお力を借りました。

話を戻しますが、朱徳熙先生の住宅事情もお気の毒でした。北京大学に近い、中関村のバスの車庫あたり、日本で言えば公務員住宅のようなところでしたが、部屋がいくつかあるのに、それぞれ全くの他人が住んでいるんです。文革の最中に、このような他人の押しかけ同居があったとか。先生の大きなベッドがある部屋でお目にかかったのですが、こんな部屋に招じ入れて申し訳ない、としきりにおっしゃっていました。明代の家具とお聞きしたのですが、ひときわ大きな黒光りした戸棚が印象に残りました。先生は趙元任の『中国话的文法』A Grammar of Spoken Chinese の原書（カリフォルニア大学、一九六八年）を取り出して、いま中国語の文法書は、こういう立派なものがある。日本で出ている文法書で一番厚いのは何ページぐらいあるか、と私に尋ねられたんです。〝最厚的多少页?〟Zui hòu de duōshao yè？と聞かれたのでびっくりしました。朱先生も分量で言うのか、やはり大きいことはいいことだ、という中国の考え方なのかしら、と思いました。というのは、朱先生より前に、キャンパス内の燕南園にお住いの王力先生をお訪ねした時、日本のある研究者の著作物を取り出して、「この本はいいですね」

と言われたんです。〃这本书很好。〃 Zhè běn shū hěn hǎo. というのは、書物の内容がいいと褒めたのかと思ったら、ページをめくりながら、紙がよい、とおっしゃったんです。日本語で読めないから、こういう褒め方になったのか、と思いました。朱先生の場合は、趙元任の本ですから、良し悪しは無いわけで、ボリュームを評価したのかな。他に、高名な岑麒祥[94]先生のお宅にも行ったことがあります。中国では珍しい言語学、音声学の専門家です。フランスで学ばれ、ヨーロッパの言語にも長じている方です。中国は大学に言語学科という専攻が無く、中文系に属しているんですね。解放直前、岑先生は王力先生と中山大学に中国初の言語学系を設けたけれど、北京大学に吸収合併で、消えてしまったようです。近年は、生成文法なら英文、音声学なら物理などの分野にも言語学領域の研究者がいますけど。

北京大学のキャンパスで、日常ぶらぶら歩き回り、昼休みに近くの海淀の街歩きもして、新たな見聞、発見が出来ました。身分証明書の写真が必要で海淀の写真館に行った時、日本な

93　三宅登之…（一九六五〜）東京外国語大学卒業、同大学院修士課程修了。一九九七年から東京外国語大学で教職に就き、二〇〇八年から教授。現代中国語の語法語彙を研究。ＮＨＫ「ラジオまいにち中国語」、「テレビで中国語」の講師担当。著書『中級中国語読みとく文法』（白水社）、『中国語の基礎発音と文法』（共著、ＮＨＫ出版）。

94　岑麒祥…（一九〇三〜一九八九）広州国立広東高等師範学校卒業。フランスに留学し、パリ大学で一般言語学を学び、学位取得。帰国後、中山大学で言語学、音声学、方言調査を講じ、一九三五年に教授。後に中国で初の言語学科創設。一九五四年から北京大学教授。著書『語言学史概要』、『漢語外来語詞典』。訳書『国外語言学論文選訳』など。

1978年、北京大学研究留学時に、街の写真館で撮影した証明写真。

ら証明は正面脱帽の写真なのに、俳優みたいに顔を斜めに向けるポーズをさせられた。係のおばさんが、私を日本人と知って、抗日戦ドラマで覚えたのか「メシ、メシ」なんて言い出し、親密感を示してくれました。一方、頤和園で湖畔の記念写真屋に並ぶ人を見て、私も列に加わった。背景を数か所変えて写し、組み写真になるらしい。証明写真に使えそうなポーズが一枚あったので、それだけ焼き増しを頼んだら、私の言い方が不十分だったのか、おかしな注文をする馬鹿な客がいる、といった嘲笑を、順番待ちの客に向かって大声で喚くので、身の縮む思いをした。私は、外出は〝中山装〟zhōngshānzhuāng（人民服）に〝布鞋〟bùxié（布靴）だったから、田舎者が来たと思ったんでしょう。それにしてもオーバーな嘲笑でした。中国人の接遇、つまり他人への対応は、親疎関係での差別が過剰だと思いました。北京では〝进城〟jìn chéng（市内へ行く）と言うけれど、市内に行く時も、冬は綿入れのズボンや外套だから、外国人だと見られません。外国人居住区の友人を訪ねるのに、地図を見てバスの便がよさそうだと、近所で下車したら、あたり一帯は大使館の居並ぶ地域で、夜だから人通りも無い。公衆電話も見当たらないし、警備兵にも聞けない。ようやく通行人がいたので尋ねたら〝前面〟qiánmiàn（前）の一言だけ。「すぐ前」という意味だと勘違いして、さらに徘徊を続ける結果になった。〝前面〟とは「この先の方」ということなんですね。目的地まで、かなり距離がありました。不親切な道案内でした。同様に、駐在新聞記者の自宅を訪ねた時、行先が外国人居住区だから、友誼賓館のお雇い外人専用車で行ったら、マンション群の正門で警備兵が遮り、中に入らせない。証明を出せと言われたけれど、あいにくパスポートや居留証は携帯していなかった。友誼賓館の運転手が身元を説明してくれても駄目、どこかへ電話までしている。すべて中国語で話したのと、私の服装から怪しまれたようでした。結局、訪問先から迎えに来てもらいました。友人からは、カメラでも手に提げて、英語で話せばよかったのに、と言われました。人民服の時代だったから、スーツ姿で持ち物が外国人に見えれば、親切に応対してくれたんでしょう。

当時、『中国語図解辞典』の資料集めには、中国人の〝好客〟hàokè（客好き）の特性を活用しました。王府井のデパートに行って陶磁器売り場の皿でも鉢でも茶碗でも、ショーケースの上に出してもらって、写真を撮り、商品に記された名称ではなく、ふだんの言葉でなんと呼ぶか、一つ一つ聞いても親切に教えてくれました。高級カメラを構えていた効果なのか、仕事がひまなのか、わかりませんが、面倒がらずに対応してもらえた。文房具店に行ったら、〝光荣退休〃guāngróng tuìxiū と標記のある定年退職の賞状の用紙が目についたんです。どうしても買いたいけど、外国人と思われたら買い物を怪しまれるから、私は日本で中国語を教えている者で、教室で中国の劇をやるのに必要だから、と「日中友好」を唱えて、理由付けしたら、ほかにも同類の品をいろいろと出してくれた。変わった物では、個人データの人事書類〃档案〃dàng'àn を入れる、書類用封筒とか。他にも、通勤証明書や、身分証明書の用紙、そんな物がいろいろ入手できました。

それでも、笑い者になったこともあります。北京語言学院に近い五道口の新華書店で、『育儿知识』(育児知識)という本を見たら、お母さんが椅子に座り、ちょうどギターを弾くような、片膝立てた格好で、赤ちゃんにお乳を飲ませている挿絵があったんです。お母さんは小さな、お風呂場の腰掛みたいなものに片足を乗せている。その絵がどうしてもほしいから、本を勘定場に持って行った。女店員が三、四人いて、みんなが露骨に大笑いしだした。なんで中年男性が育児書を買うのか、なんで外国人が買うのか、みんなでこちらを見ながら話している模様。半ばわからない言葉で。日中友好のため、と言うのは変だから、言わなかった。この絵は辞典に採用されました。道路で拾って来た物もあります。自転車のナンバープレート、昔の日本では自転車の鑑札というのがあったけど、中国では登録すると後輪のカバーに取り付けるプ

1982 年、漢蔵言語学シンポジウムの際に北京大学再訪、北京大学西門。

1982 年、漢蔵言語学シンポジウムの際に京密引水渠(運河)へ、サイクリング再訪。

1982 年 漢蔵言語学シンポジウムの際、円明園再訪。

1982 年、北京大学南門、入って右手に 1978 年当時の外国人留学生宿舎があった。

レート。なぜ落ちていたのかわかりませんが、実物で辞典に役立つから日本に持ち帰りました。採集経済と言っては言い過ぎだけれど、当時は入手困難の品物が結構あって、外で偶然拾って来る、ということもあるんです。辞典とは関係ない物ですが、中国の北方では木の板が無くて、留学生は棚を作るのに困っていたんです。工事現場近くで木切れや板を拾う話も聞きました。

北京大学で、帰国が近くなったころ、最後の希望として、辞典の資料に、八宝山の墓地（革命公墓）と火葬場の見学を申し出ました。いまなら、地下鉄で勝手に行かれるだろうけれど、外国人は許可が必要だと思って。果たして、許可と付き添いが必要でした。まあ監視役ですね。でも、写真を撮っていいですか、なんて聞けません。聞かれて答えれば答えた人の責任になるから、勝手に撮るしかない。まあ、誰かついていればいいのでしょう。辞典の資料に墓地の写真がほしかったんです。さすがに「なんでそういう場所に行きたいのか？」と聞くから、やはり図解辞典の話をしました。ついでにお話しすると、私が北京大学に滞在していたころは、外国人の旅行には旅行証の申請が必要でした。〝外地〟wàidì（地方）への旅行とは限らず、北京市内でも許可の必要なところがありました。たとえば、西郊の景勝地である西山八大処に通じる道路を通行するのは自由ですが、道路を外れると、軍の施設があるからか、立ち入れませんでした。地方に旅行に出かけて北京駅に戻ると、地下道で旅行証のチェックがありました。

朱徳熙先生を憶う

輿水　北京大学に研究留学して、朱徳熙先生に、しじゅうお目にかかれるわけではないけれど、先生は大学構内を自転車で通行されていて、私に気づくと、やさしい視線を向け、ほんの少しどもりながら、早口で声をかけてくださる。何度か、友誼賓館の部屋にも来てくださり、なにか質問があるか、と尋ねられた。日付を忘れましたが、先生がふつうの教室で開かれた、学外の人も参加するミニ講演会でお話をされたことがありました。音韻学が専門の唐作藩さんが司会者でしたが、お話が終わり質疑応答になったのだけど、出席者からほとんど手が挙がらなかった。唐さんは、私が外国人で、ただの留学生ではないと思ってくださったのか、花を持たせてくださったのか、私を指名したんです。何か言えって急に言われても、とっさに何も思いつかなかった。あまり気を入れて拝聴していなかったんですね。なんでも言えばよかったのに、私は意見が無いなんて言ってしまいました。少し気まずい空気だった気がする。いま考えると申し訳なかった、朱徳熙先生に。何か一言でも言わなければ失礼千万だった。司会者にも。後年、私は世界漢語教学学会の理事会などで、諸外国の人たちと会務を議論する機会が、度々あったけれど、日本人は、と言ったら大いに責任転嫁となりますが、私は論議や問答に即応できず、会議後にはあれこれ気づくけど、その場の発言には間に合わず、悔やんだり、嘆いたりするのが常でした。自己嫌悪の気持ちが、いつも、なかなか消えません。そういうことを考えると、中国人の研究者は、欧米人から、特に欧米の学者からは、自分たちも啓発されると思ってるけど、日本人から啓発されるとは、あまり思っていないのではないだろうか。私の例ではあるけれど、私自身が別に中国人に役立つ発言をしていないし、出来もしない。欧米の学者が来ると中国人がみな喜んで話を聞く。そして欧米人の質問には踏み込んだ答えをしてくれる。そばで聞いていると、アメリカ人なんか、確かにいいこと言うんだね。ユーモアはあるし、発想とかアイデアに耳を傾けさせるものがある。

ヨーロッパの学者たちが朱徳熙先生の家を訪ねた時に、私もたまたま一緒に行ったことがあるんだけど、フランス人がお土産に大きなチーズの塊を持って来てね。チーズって、ほら、こんな大きな輪になっているチーズを持って来て、朱先生大

朱徳熙先生。『朱徳熙先生紀念文集』(語文出版社)表紙より転載。

喜び。その時、朱徳熙先生が、日本の豆腐はおいしいなんて言われた。日本料理で召し上がったことがあるのかしら。私は、北京で日本の豆腐が入手できないか、探してみようと思った。なぜ日本の豆腐が美味かと言うと、中国の北方の豆腐は硬いんです。日本の木綿豆腐より硬い。麻婆豆腐みたいに調理すればいいから。南方には日本の絹ごし豆腐のような、やわらかいのがあって、〝南豆腐〟nán dòufu って言うんだけど、スープなどに使える。友誼商店に行ってみたり、商社駐在員の、家族で来ている人にも聞いてみたけど、日本の豆腐は、中国の現地では調達できない、とわかったので、残念ながらあきらめました。

朱徳熙先生の気概というか、厳しさを感じたのは、八十年代に入って、盛んに開かれるようになった国際的な学会の場でした。一九八二年の「漢蔵言語学国際シンポジウム」では、欧米の学者が壇上で次々と英語で発表していたら、突然、朱先生が演壇に歩み出て、ここは中国だから、中国語で話してほしい、と発言されたのです。「国際漢語教学シンポジウム」では、教え子の発表の際、控室で当人を叱咤激励し、率直な批評もしていました。同じ時に発表した外国人には、私も含め、特段のコメントはいただけなかった。朱徳熙先生は、後に人民代表大会常務委員の激職に就かれ、〝外宾〟を接待する仕事だと伺ったことがあります。持病が肺気腫で「ハアッ、ハアッ」って息苦しい様子でした。スタンフォード大学の招聘で訪米され、癌のため、現地で入院、故国に戻れなかった。実は先生が訪米される時、私はご帰国の際に日本に立ち寄っていただきたい、とお願いし、お手紙で内内諾をいただいていたんですが、実現はかないませんでした。

ある人から、朱徳熙先生は日本が嫌いなのではないか、日本には来ないかも、と言われましたが、先生の年代の中国人が、日本との戦争でどれだけ苦難を強いられたか、思いを致す必要があります。社会科学院言語研究所の所長で、初訪中から親しくなった劉堅さんの自伝を逝去後に読んだら、日本軍が上海に入って、税関で働いていた父親は傀儡政権の下での勤務を望まず、重慶に単身逃れたため、戦争終結まで母子家庭の苦しい生活が続いた、と記されていました。過去の歴史を引きずっている日本人として、身の引き締まる思いです。北京大学中文系で一年と十日を過ごした私のために、帰国に当たり、朱徳熙先生のご配慮があって、高名な学者である季羨林[95]先生も臨席され、歓送会をしていただきました。また、帰国に先立って七月には、中文系主催の公開報告会で、私が日本の中国語教育に関して話をする機会を設けてくださいま

95　季羨林…（一九一一～二〇〇九）一九三四年、清華大学卒業。翌年ドイツに留学し、梵語、パーリ語、トカラ語を学ぶ。帰国後、北京大学東方語言文化系教授。言語学、文学、文化学、比較文学、歴史学、仏教学、インド学など広範な分野で、博学を以て知られる学者、教育者。北京大学東方語言文化系主任を三十年以上も務めた。反右派闘争、文化大革命では激しい批判を受けた。著書『大唐西域記校注』、『季羨林日記』、『季羨林全集』。

した。当日は、朱徳熙先生が司会をしてくださり、学内だけでなく、他大学や社会科学院言語研究所からも参加者があり、この上ない思い出となりました。

世界漢語教学学会の誕生と別れ

輿水　外語大の中国語教員留学は、次年度に金丸邦三さんが復旦大学に行きました。私と交換に来日した蘇徳昌さんが滞在を一年延長したので、北京大学が続かなかったんでしょう。金丸さんから上海錦江飯店の部屋に住むことになった、と手紙が来ました。外語大独自の教員派遣計画というか、このプロジェクトは二年で終わりました。政府間の協定が結ばれたからです。思えば、私より早く、中国に留学します、と言って現地に出かけた他大学の先生方は、実は何らかのお雇い外人として、あちらの学校や出版社で仕事をされながらの留学が、一般的だったのです。中国の経費負担による私の留学は、いわば戦後初めての遊学でした。公費留学生の正式な交換は一九七九年から始まりました。私の帰国前、九月の新学年には、その第一陣がすでに留学生活を始めていました。当初、公費留学生派遣は相互に毎年二十人だったのが、いまは百人を越えていますね。

八十年代に入ると、中国で国際的な学会が開かれるようにもなりました。一九六八年創立の〝国际汉藏语言暨语言学会议〟Guójì Hàn Zàng yǔyán jì yǔyánxué huìyì（漢蔵言語学シンポジウム）が第十五回の大会を、一九八二年八月、中国で初めて開催しました。会場が友誼賓館構内の北京科学会堂でしたから、休憩時間に私は〝故居〟gùjū（旧居）を散策してきました。顔見知りの服務員と二年十か月ぶりにばったり出会い、相手は驚いていました。

1987年、国際漢語教学シンポジウム懇親会。右から社会科学院言語研究所の李栄、劉堅、左端は輿水。

一九八五年には、思いがけず日本側は文部省が中国語の教員を、中国側は教育部が日本語の教員を、相互に現地に派遣するという話し合いが出来て、この一回だけで後が続かなかったんですが、私は文部省から団長を委嘱され、大学や専門学校から推薦された中国語教員十名で、北京、広州、杭州、上海をめぐることが出来ました。その時に、中国の教育部で私たちの全行程を付き添ってくれた白剛さんは、後に中国大使館教育処の公使参事官となりました。白さんの父上、白登雲さんは鼓の楽師で、一九五六年に梅蘭芳が来日公演の際、京劇楽隊の指揮者だったそうです。

中国語の教育者、研究者にとって、八十年代の大きな話題は、世界漢語教学学会の誕生です。一九八五年に北京語言学院が世界各国の中国語教育者、研究者に呼びかけて、北京で国際漢語教学シンポジウムを開催しましたが、その時の参加者の多くが、このシンポジウムを単発のものとしないでほしい、と要望したので、二年後の一九八七年に第二回が開催され、同時に世界漢語教学学会という国際的な学会が設立されたんです。この辺りまでの北京語言学院の努力は、まさに総力挙げて、という特筆に値するものでした。教職員すべてが、何らかの役割を担っている感じでした。学院長の呂必松さんが会長になりました。私は、すでに一九七五年の文字改革視察団で語言学院訪問時に呂さんにお会いしていました。中国のやり方というか、もしも日本なら主催者が各国の関係学会などに呼びかけて大会を組織、運営するのですが、中国は縁故関係に頼って、人脈で声掛けをするので、第一回の招集はもちろん、学会発足時も、国外からの参加者は、いわば語言学院と何らかのつながりのある人々に偏り、また、海外華僑の出席が目立ちました。政府の華僑辦公室の後押しもあったのでしょう。というのは、実は、その数年前に台湾が、北京に先駆けて同種のシンポジウムを開催していたのです。北京では国内から、留学生に対する中国語教育の従事者だけでなく、中国語の研究領域を網羅する、高名な先生方が多数参加されました。国内はシンポジウムの参加資格をかなり厳しくしていました。内外すべての参加者が高級ホテルに期間中合宿の形式でした。懇親のパーティーでは、主催者側の後方支援の要員も加わり、人数が多すぎたのか、挨拶も終わらぬうちに大勢がバイキングのテーブルに殺到して驚かされました。当時はまだそんな時期だったんですね。でも、数百人の参加者が親しく交流を深め、〝一家人〟yìjiārén（家族）の雰囲気を感じさせたのは、さすが中国のおもてなしでした。日本からの参加は二十数名で、私は世話役として学会の理事に選出されました。継続的に、三年ごとにシンポジウム開催と決まり、一九九〇年に第三回、九三年、九六年と、順調に開催され、私も皆勤で参加しました。しかし次第に、初期の、会員みんなで盛り立てた雰囲気に水を差されるような状況になりました。

中国では、このような学会は民間の組織でありながら、民政部に登記して、政府のお墨付きが必要だというのです。すでに一九八七年には教育部が主になり、国家対外漢語教学領導小組辦公室、略称国家漢辦という、各省庁横断の、たとえば財政や海外華僑の部門もかかわる、外国人に対する中国語教育を管掌する機構が出来て、孔子学院の世界的な展開も始まりました。初めて知ったけど、中国は民政部の許可がないと学会作れないんです。

――国際学会も制約を受けるんですね。

輿水　官製学会になってしまいますね。とりわけヨーロッパの会員たちは、国家の干渉は受けたくないって強く主張しました。学会っていうのは民主的なものなんだ、と言って反対し続けたんです。学会のあり方をめぐり、理事会で議論されていた折も折、一九九〇年の第三回シンポジウムで、李鵬総理が参加者全員と会見する、という話が会期中に伝わって来ました。ちょうど天安門事件の後で、国際的に中国のイメージダウンが広がっていた時期でした。これは、やっぱり外国人に会って、暗いイメージを払拭したかったんでしょうね。ところが、欧米の会員は、私たちは反対の意思を示したい、中国政府の天安門事件に対する責任を問いたいから、参加しないと言うんですね。一方で、中国人の会員は断るわけにいかない、と言う。中国の会員にとっては、断れば踏み絵になってしまうわけですね。日本はどうしようか、と日本の会員で議論し、中国にお客さんで来ているんだから、参加したほうがよい、となりました。私は内心、行ったら中南海の中に入れるから、行ってみたいと思いました。バスの隊列を組んで、中南海の西側の高い塀の外で順番待ちを長時間、私たちと同じように何組も会見の人たちがいるのでしょう。やっと順番が来て、バスに乗ったまま門を入りました。

——中南海へはどの入口から入られたんですか。

輿水　裏から。長安街に面した、正面の新華門からは入れませんよ。裏の、北海公園側から。入るまで、西側の塀沿いにずらーっとバスが並んで、延々と待っているんです。下車してみると、何かの建物の前の広場に、パイプ椅子や立ち席で、なん百人も並べる場所がしつらえてありました。そこで一同、記念写真を撮るらしい。私たちもそこに案内されたんです。椅子席には、学会の役員など主だった人の名前が、カードで貼ってある。私の名前もあった。役員以外は、どこでもよい。座る椅子が焼けるほど熱い。日なたで、八月のカンカン照りですから、すごいケツアツっていう感じ。ずーっと待たされて、その間に後方の人たちの並び方を、顔が出るように調整し、やっと終わったころ、李鵬総理はじめ、数人の〝领导〟lǐngdǎo（指導者）がどこからか出て来て、中央に座る。その時に何人か主だった役員たちと握手したり、言葉を交わして、写真を撮ったら、それで終わり。別にどこか見学するわけではない。中南海なんて、そこに行っただけですよ。その記念写真は、例によって、カメラが回転する、ぐるーって回る写真機だから、プリントも横に長く、巻物になっている。結局、総理会見をボイコットした欧米の会員は、あくまで国家の干渉は困るって言ってました。

そのころから、たとえば、開会式とかセレモニーなどで壇上の主席団席は、以前は学会の役員ばかり、私も並び大名みたいに座ったけれど、だんだんと、お役人が座るようになってきたんです。一九九六年の第五回の際に、次回はドイツでの開催が決まった。ドイツ語圏中国語教育学会が、九九年にハノーバーで第六回を引き受けた。ヨーロッパ、特にドイツの会員は、学会というもののあり方を示したい、とでもいうように、早くから海外での開催を提議していました。ドイツ開催で、ドイツの学会は中国に四十人分の旅費を提供もしたんです。当時、中国の会員は、日本での開催をしきりに促していました。経済大国だから、という理由で。ドイツの中国語教育学会は、それより早くに、ドイツ自身が主催する、独自の国際シンポジウムを開催していました。一九九二年にハイデルベルクで開かれた際、私も出席しました。その後、二〇〇二年の第七回の、上海でのシンポジウムは、ちょっと違和感がありました。いよいよ官製という雰囲気です。

後から考えると、第七回の上海が、いろいろな意味で、私と世界漢語教学学会、略称世漢との縁が、魯迅の言葉を借りれば〝精神上一在天之南一在地之北〟jīngshénshang yí zài tiān zhī nán yí zài dì zhì běi（気分の上で、一方は天の南にあり、一方は地の北のほうにある）となるきっかけでした。二〇〇五年の第八回は、前回の上海で気落ちしていたし、日大定年退職の年で慌ただしく、不参加でした。しかし当時は副会長になっていたのと、陸倹明さんが会長だったので、二〇〇六年と〇七年の理事会には出席しました。二〇〇七年はちょうど学会二十周年で、理事会に続き、理事総出の〝国际汉语教学新趋势 高层系列讲座〟Guójì Hànyǔ jiàoxué xīn qūshì gāocéng xìliè jiǎngzuò（世界の中国語教育における新たな動き 高級連続講座）と称する、三日間連続の講座が開かれ、私も〝日本汉语教学当前需要什么改革〟Rìběn Hànyǔ jiàoxué dāngqián xūyào shénme gǎigé（日本の中国語教育は目下どのような改革が求められるか）という話をしました。会場は北京大学です。結果的に、私の学会お別れ最終講演となりました。この時の理事会で会則修正案が審議され、民政部に登記の件と、民政部の示す学会会則の様式に従って条文を修正する件が審議されました。新たな学会会則で、中国の法律、法規の順守という条文に、中国の憲法や社会道徳風習の順守などの文言も加わりました。

第九回の大会は二〇〇八年ですから、オリンピック開催年のため、調整が必要でした。このあたりから、私は心情的だけでなく、物理的にも学会と離れざるを得なくなったんです。北京の学会事務局が理事会などの連絡を郵便でくれなくなったんです。メールで来るんです。当時、私はパソコンを家で使ってなかったから、大阪大学の古川裕[96]さんがメールを郵便で転送してくれたんだけれど、パソコンの事務処理では中国のほうが進んじゃっていたんですね。カラーテレビでも、携帯電話でも後発国の方が先に普及するのと似ていますね。連絡が全く来なくなった、私は創立時からの終身会員なのに。アドレスが無いので、名簿から消したのかな。そういうこともあって疎遠になってしまったんです。もう一つですが、オリンピックの開催年が次の大会と重なるので、そのための準備会みたいな理事会を杭州でやることになった。北京ではオリンピック準備で開けない。少し前に理事会の旅費は中国で実費を払うという制度になっていたんです。安いチケットと指定されているから、早いうちに格安チケットを購入した。そうしたら突然、上層部からのお達しで、会議は開けないことになりました、と言って来た。だって、チケット買っちゃったのに、と手紙を出した。パソコン使わないから手紙で。返事が来て、次に来た時に返金しますって書いてある。結局、格安チケットで払い戻しはないから、チケットは無駄になったんです。その時から、学会には理事会も含め、もう行かなかったから、金の切れ目が縁の切れ目でした。実は、文化大革命の時に、そのころ中国の新聞雑誌をいろいろ予約購読していたんだけど、一斉に休刊となったのに、予約代金が清算されてないんです。だから、これで中国には二度も貸しが出来たことになります。

国際漢語教学シンポジウムは一九八五年に第一回開催、二〇〇七年は世界漢語教学学会発足から二十年、理事会なども含めて、多くの〝同行〟tóngháng（同業者）とともに、高名な先生方とも知り合いになれた。しかも中国各地の研究者や世界各国の〝专家〟が一堂に会するだけでなく、〝同吃同住〟tóng chī tóng zhù（寝食を共にする）の合宿形式で。いまはそういうことが少ないと思うけど、いわば上下の隔たり無く、朝昼晩の食事時は中国式だから、どんどんと来た順に円卓につくので、たちまち知り合いになれたんです。そういうことから多くの知己を得て、後に日大文理学部と台湾師範大学間の交流協定も結べたし、私自身の海外旅行にも役立ちました。私は五十歳過ぎてから、やっと文部省の在外研究員の順番が回って来て、わずか三か月ですが、世界一周を試みた。欧米諸国の中国語の教室を見学するため一回りして来たんだけど、みんな中国のシンポジウムで知り合った方々のおかげでした。中国語の先生を頼って行けば、中国語だけで欧米各国を回れるんです。最近は、学会はそういう方式ではないでしょうね。

96　古川裕…（一九五九〜）大阪外国語大学卒業、東京大学文学部卒業、同大学院人文科学研究科修了。北京大学中文系に学び、博士の学位取得。大阪外国語大学教授から、大学統合で大阪大学教授。世界漢語教学学会副会長。著書『中国語の文法スーパーマニュアル』（アルク）。

――いまでも寝食も会議もすべて同じホテルで行う学会があります。

輿水　まあ、そういう方式をうまく利用すれば、いいんですけど。

――二〇〇二年に上海で開催された世界漢語教学学会のシンポジウムですが、実は参加しました。

輿水　あ、そうでしたか。

――はい。二〇〇二年、ちょうど大学院の博士前期の一年目で、休みを利用して上海に滞在していたので、先生に付いて参加した記憶があります。初めての海外学会の参加で、ただ聞くことしかできなかったのですが……。

輿水　二〇〇二年の上海の第七回シンポジウムでは、実はもう一つ、後日不満をかこつことがあったんです。第六回までは、私の論文は全部、大会後に刊行の論文集に載せてくれたんですが、第七回のは収録されなかった。客観的には、そんな評価だったのかも知れないけれど。その年に出した論文は、私としては、ぜひ大きな声で言いたかったことなんです。もっと書き言葉をやらなければ駄目だという主張です。日本の中国語教育は、テキストのほとんどが会話体の文を並べただけ、それで会話の表現は覚えられるかも知れないけど、教養を感じさせる中国語というのは、もう少し書き言葉なんです。手紙を書く、メールを出すという場合など、もう少し書き言葉で書けないと、小学校低学年になってしまいます、小学生の中国語。小学校でも四年生以上だと、かなり書き言葉になりますね。書き言葉っていうのは、書く場合だけではないんです。電車内のアナウンスだって書き言葉です。放送だってある程度そうです。ロンドン大学の佟秉正[97]さんがすでに述べているのですが、学生が北京に行って、中国語を学んだのに駅の放送が何もわからない、アナウンスは書き言葉を読んでいるから。薬を買って来て、服用の説明書がわからない。日本人の場合、漢字で記された書き言葉は、目で見てある程度わかっ

97　佟秉正…（一九三八〜二〇二〇）北京生まれ。国立台湾師範大学卒業後、同大学国語中心で、外国人に対する中国語教育に携わる。一九六三年以降、ロンドン大学東洋アフリカ研究学院（ＳＯＡＳ）で中国語教育に従事。一九九〇年から二〇〇五年まで世界漢語教学学会副会長。著書『漢語口語』。

たつもりになるけど、アナウンスを耳で聞いたんではわからない。佟さんは書き言葉学習の必要性を報告されているんです。私はそれを受けて、日本の多くの教科書では会話体しか学べないし、書き言葉への移行が難しいから、話し言葉と書き言葉を対比することが出来る教科書を作った、という話をした。論文集に載せなかったのは、たぶん中国人にはあまり興味を引く問題ではなかったんでしょう。でも、このごろの語学関係の雑誌を見ていると、このような主張をしている人が出て来ているようです。ちょっと時期が早すぎたかも知れない。

私が書き言葉の教育を主張するのは、きちんとした言葉遣いが出来ないといけない、教養ある人たちの言葉を目指してほしい、ということでもあるんです。東京外語大は一九八〇年から北京語言学院の先生を二年ごとに交代する方式で招聘しているけど、ある時、社会科学院言語研究所の所長もした劉堅さんの紹介状を持った先生が着任された。許徳楠[98]さんという先生です。この方は大変な学者でね、研究成果の著作もある。日本にいる間にもっといろいろ教えてもらえばよかった、と思う人です。この人が持って来た劉堅さんの紹介状、紹介状持参の人は初めてでしたが、英語で書いてあった。だから、たぶん学校に出すつもりの書類でしょう。その紹介状に、許先生の中国語は polite class の中国語だと記してあった。polite は、教養のある、という意味。教養ある中国語の話し手、書き手だと書いてある。こういう推奨の仕方があるんだ、と思った。私が中国語の勉強で役立った水世嫦先生の中国語は、まさにこの教養ある中国語でした。水先生の『生活與会話』という会話書は、東方書店で復刻されました。古臭い教科書に感じるかも知れないけれど、やっぱり教養ある中国語なんですね。いまの中国、あるいは人民中国であってもね、一定の教養ある人たちの話す言葉、あるいは書き言葉を意識しないといけないですね。まあ、友好親善だけ、〝你好〟nǐ hǎo〝谢谢〟xièxie なら、たいして問題ないけど、内容のあるやり取りでは、言葉遣いによっては無教養と思われる。相手の呼称や、呼びかけ方の問題もそうだけど、ちょっとした言葉の選び方で、人格まで判断されるから。話は戻るけど、上海で私が報告をした時に、モンゴルの女の先生が一人、わざわざ私の席に来て、今日の発表には同感である、モンゴルでもやっぱり、あなたの言うようなことを教えないといけないと思っている、と感想を聞かせてくれました。他には全然反響なし。だから、論文集に漏れたのだと思います。これも学会離れのきっかけになりました。ただ、退会を届けたわけでもないのに、通信が途絶えたまま、会合に欠席していたら、終身会費を払っているのに、除名されてしまったのかしら。

98 許徳楠…(一九三二〜)北京大学中文系卒業。北京語言大学教授。一九八四年から二年間、東京外語大客員教授。著書『入唐求法巡禮行校注』、『会話から読解へ』(東方書店)、『中国語スピーチ・あいさつ』(共著、東方書店)。

中国語検定試験とＨＳＫ

輿水　世界漢語教学学会は、いわば国家漢辦の指導下にあるわけですが、漢辦の事業は検定試験と孔子学院ですね。日本では、中国語検定試験が、前身までさかのぼれば四十年を越える歴史がある。一九六〇年代末に、霞山会の肩入れする検定試験に対する粉砕闘争があり、その際の受験予定者救済に、大阪では香坂順一先生が、講習会である愚公会による認定試験を始め、八十年代に試験の実施母体を東京に移す話が出た時、中国語学会の有志が集まって、なんとかして学会や、中国語教員の誰もが納得できる検定試験にしよう、と話し合いをしていました。それまでの試験のままの移行では、大方の、もろ手を挙げての賛同と協力は見込めなかったのです。私もその話し合いに加わった一人でした。東京での実施を一年猶予してもらい、その間に受け入れ体制を整えることになり、香坂先生に申し入れたのですが、見切り発車されてしまいました。一部の方は香坂先生に従ったのですが、大部分は反対はしないけれど協力しない、という立場になりました。私もその一人です。私を、検定試験の非協力者として、近年になっても誤解している向きがありますが、私は、実は検定試験の陰の功労者です。私はテレビ・ラジオ講座講師だったし、八十年代から九十年代に二度も学会の理事長だったので、そのころから、いろいろな人や団体、会社が中国語検定試験を始めたい、と相談に来ました。その都度、私は、試験をやるなら、香坂先生とよく相談して、双方成り立つようにするか、何か折り合う方法を考えなさい、と勧めました。もちろん私が引き受けることはありません。相談に来た、すべての人にそう言ったんです。有力なところでは日中友好協会本部、ここは私が理事の時期もあったんです。また、大手の出版社が後ろ盾で、国連英検に倣って国連中検というのを始めたい、という元外交官が来たから、中国語学界の事情も話し、香坂先生がちゃんとやっているから無理ですよ、と言ってやめさせたんです。香坂先生と相談しなさい、が私の回答でした。ある時、香坂先生にも、こんな事情を話して、私が香坂先生と検定協会を支える一番の功労者ですよ、と申し上げたこともありました。

一つ残念だったのは、中国語学会の先生方に何とか協力を得たい、と香坂先生からしきりに話があったので、学会としては到底無理だから、中国語学力基準研究会のような組織を作って、適切な問題作成を研究し、問題バンクから検定協会に材料を提供する仕組みにすれば、協会に直接協力をするのでなく、わだかまりのある会員も参加しやすい、と説明して、実際に有志と計画を練ったのですが、後日、先生から部内の反対があるから、と断られました。あるいは、検定試験を乗っ取られる、と誤解されたのかも知れませんね。検定協会のオフィスが池袋のサンシャイン60にあるころ、先生に何度か呼ばれました。食事をご馳走になり、先生から協会の行く末を心配する話を聞かされました。私からは、香坂先生は外語の大先輩であり、先生からは、私は後輩のはしくれ、香坂先生は毀誉褒貶さまざまの方ですが、私は一九六〇年に中国語学研究会の全国大会で初めて研究発表をした時、前夜ご自宅に泊めていただいて以来、先生には多々教えを受けています。

中国の検定試験であるＨＳＫ（汉语水平考试"Hànyǔ Shuǐpíng Kǎoshì"）が日本に入って来た時、学会に話を持って来てくれれば、定着しやすかったのに、事業者に話をするから、多くの先生方は大手を振っての受け入れをされなかった。そもそも中国のやり方は、縁故関係や、有力者と目す人に頼るから、公的な団体などの受け入れにならず、日本ではきちんと定着ができない。その上、漢字使用国のことを考えていない出題であり、さらに、教室だけの学習者には難しすぎる。私は、中国語を教え、学んでいる現実に合わせないと、日本では普及できない、日本できちんとやるには、社会的に認知されている団体や関係学会と連絡しあったほうがいい、というのが持論でした。日中友好協会は検定試験だけでなく、ＨＳＫにも中国側との連携に関心がありました。そういうことから、一度、協会として中国側と話し合って、何かできるかどうか、国家漢辦を訪ねてみよう、ということになり、事務局長と一緒に北京に行きました。ちょうどＳＡＲＳ騒ぎの半年か一年後ぐらいかな。漢辦で、世界漢語教学学会で面識のある女性の主任に会いました。しかし、こちらが輿水と名乗っているのに、私に対して「Ｘ先生、Ｘ先生」と、間違って呼びかける。最後まで改めなかった。お付きの人も知らん顔していた。日本の先生はＸ先生だと思い込んでいるんです。

私は提案を用意して行きました。新たに、日本人学習者向けの導入テストを設ける。ＨＳＫ入門のやさしい試験で本試験に導入するテスト。初歩の人でも受けられる、しかも日本人向けだから漢字を知っていることを前提に問題作成する。日本人のスタッフも加わって問題作成に当たる。日本の関係学会でも協力体制を組む。導入テストという橋渡しのテストをパスすれば、次はＨＳＫの何級かにつながるような、そういう内容の提案でした。これなら、現に日本でＨＳＫを請け負っている団体や事業者にも影響は無いし、日本側は学会としても新しい導入テストを中国と協力して作っていける、学校教育にも取り入れられる、と説明したのだけれど、その回答が、少数民族用のＨＳＫをやっているから、それを使えばいい、とのこと。「なんだよ！」って声をあげたいほどだった。主任がそう言うから、実務的な、試験問題作成の担当者たちに会っても、小学生用とか、少数民族用というＨＳＫをすでに実施あるいは準備しているから、それをやればいい、なんて言い出す。具体的な見本問題も用意していたんだけど、取り上げる気持ちが無いんですね。お話にならないんです。呆れて、日中友好協会にも、こういうことですから、あんまり一緒になってやるって考えないほうがいいですよ、と話した。そうしたら、その後、何年かしてＨＳＫが、その時の話を取り上げたような形に近づけた改革をしている。もっとも、私の理想とする内容ではないんだけどね。私の提案で、日本側と協力してやってくれれば、学校でも使えるテストが成立したのに、残念でした。

私は、このＨＳＫの件だけでなく、世界漢語教学学会のブログなどを見ても、中国は、やはり欧米には目を向けていても、日本には向けていない、という気がしてなりません。個人的には、中国の人たちは日本人にみんなとても好意的ですけど。われわれ日本人も、構想とか、アイデアとか、発信力が欠けている点は反省する必要がある、と思います。これは私自身の反省でもあります。それにしても、世界漢語教学学会との関係では、後に中国語教育学会を立ち上げた際にも、似たような体験をしました。

中国語教育学会の設立、学術交流の展開

輿水　一九八五年に北京語言学院が、国際漢語教学シンポジウムを創設してくれたおかげで、

国外では、ドイツのドイツ語圏中国語教育学会、アメリカの中国語教師協会のように、中国語教育に特化した組織があって、例会や研究会など活動をしていることがわかりました。日本では、中国語学会が語学教育の領域も含めて、学会としての活動を進めていたわけですが、そのころから、教育畑の会員の間で、学会誌に教育関連の論文を投稿しても採択されない、大会発表の機会にも恵まれない、といった話が出て来るようになりました。私は，一九八七年から九〇年と、九四年から九七年の二回、中国語学会理事長を務めていましたが、自分としては欧米各国のような教育学会の別途設立を願っていました。理事長職の間に学会を混乱させることはできませんので、一九九六年に全国中国語教育協議会の準備会を立ち上げ、教育学会創立のための協議機関としての研究活動も行えるようにしました。大学教員だけでなく、高校や専門学校、講習会、個人教授まで広範な呼びかけをしました。中国語は従来から学校教育以外での学習者が少なからず、また民間の中国語学習者が、放送講座の視聴者であったり、交流活動をしていたり、他の外国語に比べて裾野が広いことを重視したからです。組織が整い、翌年から準備会でなく正式に、研修会、セミナーをはじめ、教師の経験交流やスキルアップを図る活動を展開しました。協議会設立五年目の二〇〇二年に至り、協議会第三回全国大会で、中国語教育学会と改称、学会活動を開始しました。現在、会員は約五百名で、中国人教員の入会が少なくありません。日本の中国語教育における問題点に関して、これまで私はあれこれ書いているのですが、学会の立場で言えば、大学教員の場合、法律や経済など専攻外でも留学経験などから中国語を教えている方が少なからず、現地体験で中国語教育に携わる方も多いので、積極的にＰＲして、学会参加を促したいのです。

ＰＲと言えば、当時、学会誕生のニュースを、〝日本消息 日本成立中国语教育学会〟と題した一文にまとめ、世界漢語教学学会の事務局に郵送したのですが、機関誌などの掲載も無く、反響も全く得られませんでした。例によって、中国式は事務的に文書送達より、縁故者や有力者に伝達を依頼するのが有効ですね。あるいは、郵便物よりメール添付がよかったのかな。その後も数回、文書送付しても音沙汰無し。私の偏見かも知れませんが、やはり欧米に関心があり、日本には目を向けていないようです。教育学会の成果の一つとして、二〇〇七年に、文法項目表と学習語彙表を掲げる『中国語初級段階学習指導ガイドライン』を公刊し、二〇〇九年に、このガイドラインに基づく『中国語 わかる文法』（大修館書店）を、私と島田亜実さんとの共著で出すことが出来ました。島田さんは、中国語教育協議会準備会以来、中国語教育学会の事務局を担当し、運営を軌道に乗せるべく、長い間、尽力されました。

内外の学会活動が、世界漢語教学学会以外にも盛んになり、たとえば一九九八年に北京大学で開催の〝現代汉语语法学国际学术会议〟、二〇〇一年に北京第二外国語学院で開催の〝首届对外汉语语法讨论会〟には、私も招かれて出かけました。私は、一九九七年に東京外国語大学から日本大学文理学部に移り、学会活動では、中国語教育学会の創設と基盤固めに専心。校務では、いくつかの大学間交流協定の交渉に力を注ぎました。文理学部独自の北京大学留学の道を開き、北京大学が支援する新疆ウイグル自治区の石河子大学と三者による交流協定、台湾師範大学との交流協定などが成立し、それぞれの学術交流活動の展開で、ますます中国語の世界に浸る日々を過ごして来ました。

第二部

課余閑談

北京大学 26 楼。
1978 年当時の、外国人留学生（男子）宿舎。

初期のラジオ講座テキスト

――先生はご自身で作られた教科書や、当時の教材は保管されているのですか。

輿水　なんでも取ってあるんです。NHK中国語講座なら、鐘ヶ江先生以後のテキストが山積みになってます。みんな取ってある。これね、すごいんですよ、鐘ヶ江先生の一九六三年一月のラジオ講座テキスト。巻末に魚返善雄先生も「言語学からみた中国語」と題して、書いていらっしゃる。当時のテキストに、時には鐘ヶ江先生ご自身がペンネームで、巻末の読み物も書いているようです。

――このテキスト、こんな詳しく、たとえば、ここはこんな強く読む、重読とかね、ポーズを短め、長めとかね。

輿水　これは、とてもいいことを指摘してくださった。当時、鐘ヶ江先生はテキストのピンインの部分に、文中の、息継ぎをする切れ目や、はっきり強く読む箇所を示す方式でした。初学者には文の切り方は必要ですし、どの語句にアクセントをつけるか把握すれば、中国語の自然な調子に近づけます。後者は、以前のいわゆる「重読」に通じるものですね。発音教育で、いま、本来の声調を失って、軽く発音する、軽声っていうのを教えるけど、昔は重念っていうのを教えた。重読とも言うけど、文の、一種のイントネーションですね。以前、中国人の先生は軽声なんて教えていなかった。六角恒廣さんは、魚返善雄先生が一九四一年に出したテキストについて、「従来の教科書では、重念を取りあげて、軽声について書いたものは少ない、軽声に注目したのは、おそらくこの本が早いものといえよう」と指摘しています。重念です

ＮＨＫラジオテキスト 中国語入門。

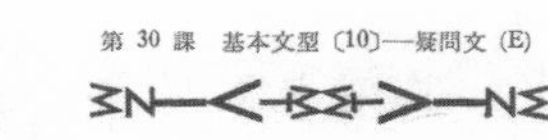
第 30 課　基本文型〔10〕—疑問文 (E)

1, 她　要　哪个？　这个？
2, 她們　都　走，　你　呢？
3, 我？　我　有　事情，　不去．
4, 那　是　苹果，　这　是　什么　呢？
5, 这　很　难！　你　有　什么　办法　呢？

1, Tā yào nǎge? // Zhège?
2, Tāmen / dōu zǒu, // nǐ ne?
3, Wǒ? Wǒ / yǒu shìqing, / bú qù.
4, Nà shi / píngguo, // zhè shi / shénme ne?
5, Zhè / hěn nán! Nǐ yǒu / shénme bànfa ne?

重念について触れられた箇所。

が、私が外語大で、中国人の包老師という七十代の先生に会話教科書を教わった時、いつも授業のはじめに、先生が黒板に原文を書いてくれて、特定の字句に傍線を引く、その傍線の箇所を強く読まなくちゃいけない。重念っていうのは、要するに単語の問題じゃなくて、文全体でどこを重く読むか、それによって意味も違ってくる。たとえば、「なぜ行くんですか」と、「どうやって行くんですか」って言うのを、同じ〝怎么走〟だけど〝怎么〟zěnme を強く読むか、〝走〟zǒu を強く読むかで区別できる。〝怎么〟の〝么〟は軽声だというような注意はしなかったんですよ。私が学生のころは、軽声なんていう指摘より、重念に気をつけて音読することを、中国人教師から求められた。重念とか重読というから、傍線の字句を重く、つまり強く読むと考えやすいけど、実際には声調が、本来の声調より音域が高くなったり、長くなったりするんですね。趙元任の『语言问题』(商務印書館、一九八〇年新版)に指摘があったと思います。鐘ヶ江先生はそういう点も考えて、ラジオ講座で教えられたんですね。

──倉石武四郎先生の『中國語法讀本』(日光書院、一九四八年)は、この重念の概念を意識して、読み方の強弱で文字の大きさを変えるというユニークなレイアウトになっていましたね。

輿水　これはね、本当は、いまもそれも教えた方がいいんですよ。ところがね、重念っていうのは文脈に依存するから、教えにくいんです。放送講座でゲスト歴の長い陳文芷さんなどは、やはり重念を重く見て、論文も書いているけれど、重念は文脈でどういう意味にとるかっていうことにかかわるから、外国人や初学者には難しいですね。昔は、先生の真似で、お手本を口移しに教えたから、重念こそ大事だったんですね。明治以来、中国語の会話教科書として使われた『急就篇』は、戦後、一九六四年改訂の簡体字本で、重念を示す傍線を削除しているようですね。欧米の人は中国語が話せても、立て板に水っていうと聞こえがいいけど、一本調子で、抑揚の欠ける例が多い。日本人は声調には几帳面だからまだいいんですけど、重念は教わってないから、中国人が聞いたら、やはり不自然で、意味を取り違えることも起こるでしょうね。

――戦前のＮＨＫのラジオ講座のテキストには重念の個所を示す線がついているものがありましたが、戦後はこういった表示が見られなくなりました。なくなった経緯はご存じですか。

輿水　戦前からの中国語学習者で、とりわけ中国人から口移しに真似するように、重念も教わった人たちは、教わっただけでなく、実践もできるんだと思いますが、私たちの世代になると、重念を重視する教え方になじんでないし、個別の例示は出来ても、特にそれを規律化して教えるほどのルールを提示は出来ないんですね。いわば、中国人に聞いてやる以外にない。私の講座で模範朗読をしてくれた陳文芷さんは重視されていたけど、結局、説明が難しいんですよ。ある程度のルールをまとめた研究論文もあるにはあるんですが、前後の関係で、どこを強調するかって、私たちにはとらえにくい。特に初級者には、軽声を含めてまず声調を正確に出せる、という指導が先決だから、重念は次の段階になるのかも。初級者は、声調を正しく、きれいに出すだけで手いっぱいの感じですね。昔の『急就篇』を暗唱した時代なら、暗記した範囲で、重念が身についたでしょう。

中国語教材今昔談

輿水　明治以来、広く使われた会話教科書の『急就篇』について、安藤彦太郎さんが面白いことを言っていますよ。安藤さんがそんなことを言うから、余計に印象に残っているんですが。文革が始まる前に、安藤さんが在外研究でずっと北京にいて、文革の直前に帰国されたけど、その時の話で、岩波新書の『中国語と近代日本』（一九八八年）に引用されています。北京の郊外の川べりで釣りをしている人に、『急就篇』の対話にある例文で尋ねたら、『急就篇』の例文通りの答えが返ってきたそうです。釣れる魚を尋ねれば、昔もいまも、そのあたりで釣れるのはフナかなんかに決まっているから当然だけど。『急就篇』の問答が、そのまま対応して、『急就篇』がこれほどよく書けているとは思わなかったと、褒めています。昨今の新しい会話書だと、場面、場面のコミュニケーションを図る、というんで、『急就篇』はむしろ、いま現在の会話教科書にぴったりって、なっちゃうんだけど、コミュニカティブアプローチの……。

——私は明治から令和までの教科書を研究の一環で収集していますが、教科書を長いスパンで眺めていると、五十年単位で、同じことを繰り返しているというか、ブームがあるというか、百年前にコミュニケーション力が足りないからもっとコミュニカティブな教科書を作らなきゃいけないっていう議論がされたり、文法能力をもっと養成するべきだという時期があったりと、一定の周期で同じようなことを繰り返しているような気がしています。

輿水　昔、外語大の先生方も似たようなことを言っていました。語彙のことですけれどね、〝同志〟tóngzhì とか〝爱人〟àiren とか、人民中国で使いだしたけど、どうせまた〝太太〟tàitai とか使うに違いないって、言ってました。確かにその通りになりましたね。それが、〝小姐〟xiǎojiě みたいに使えなくなったり、意味が変わって使うようになったり。

――戦前の教科書を見ていると、いまの教科書とは当然形式が違っているだけではなくて、教材によって判型やレイアウトが異なり、そのバリエーションも、いまに比べて多いように思います。当時の教科書はいまと違って、授業の回数や方法が異なれば、課数やレイアウトなどのフォーマットがまだ定まっていなかったからかと思いますが、より自由に作られていたのではないかと感じています。たとえばこの『レコード支那語会話』はかなり独特なスタイルの教材の一つですが、ご覧になったことありますか。これは神戸商業大学の徐仁怡という先生が作られた教材ですが、レコードに加え円盤型の紙に中国語と日本語が書かれている教材です。レコードの上にこの円盤型の教材を置いて、レコードを回しながら、音読して使うようです。

輿水　なるほど、耳で聞いてその通り口真似をすればいいと。

――順番に一周ぐるっと読むとちょうど終わるようです。最後の例文は見事に〝再见〟zàijiàn で終っています。この先生が執筆された教科書には他にも色々な工夫や仕掛けがあります。たとえば白水社から一九四一年に出版された『支那語第一歩』には、おそらく中国語教科書業界初になるピンインを隠すシートを添付したりしています。

輿水　私が中国語を学び始めて最初に買った中国語の本はこれ、鐘ヶ江信光先生の『白水社中国語講座』、全三巻です。外語大に入学したころ、一巻ずつ出るごとに買ったから、こんな箱には入っていなかった。残念なのは、教員になってから、大学の用務員の人が中国語を勉強したいって言うので、第一巻をあげちゃったんですよ、だから一が欠けちゃって二と三しか、いまは持っていないんだけど。三冊で、初歩の発音から、文学作品、書簡文まである。実は、鐘ヶ江先生が外語大を辞められる時に、金丸邦三さんと私にそれぞれ、大学書林の『中国語四週間』は金丸さんに、白水社の『中国語講座』は私にあげるから、それを引き継いでやってください、と言われたんだけど、白水社からは全然、私にそういう話は来なかった。私が、鐘ヶ江先生に言われましたから、と白水社に言うほどのこともないし、忙しかったから、それっきり。金丸さんはどうされたのか、大学書林の『中国語四週間』をちゃんと引き継いで新版を出した。私は白水社と縁が無いというか、お呼びが無かった。長谷川先生は、早くから、私が外語大に入学した年に、白水社で本を出しています。私が教員になった年には『中国語会話』というポケット版の書き下ろしを執筆中で、私も外国の地名と人名の付録をお手伝いしました。行き届いた会話書で、ガイド試験の過去問を載せていることもあって、それから長い間、版を重ねましたね。私も、あまり縁の無かった白水社に、九十年代になって初めて、テキストを出してもらえました。『初級コース中国語』（一九九五年）です。文法を簡潔にまとめた入門テキストで、このテキストだけは二十年越えたいまも、細々ですが印税がいただけるんです。同年代の、他のテキストは、ほぼ絶版状態ですけど。

――白水社から出版されている長谷川先生の教科書で『白水社中国語読本』というのがありますが、出版から四十年たった今でも現役で使い続けられているようです。この教科書で使われている本文では、新しい言葉を追いかけるのではなく、時代が変わっても使い続けられるように、奇抜な単語を使わないなど、長く使い続けられるような設計になっているようです。

輿水　寿命の長いのは、設計が行き届いていますね。従って、教える側も使いやすい。他社の例だけど、私が教員になって間が無いころに出ていたテキストで、太田辰夫、香坂順一、鳥居久靖、関西の先生方三人に、東京では田中清一郎先生が加わって、四人で共著の『現代中国語入門篇』(光生館、一九六三年改訂版)ですが、B6判の小型サイズで、内容がコンパクトで、よくできていた。いまでも使いたくなるほど。そのころ第二外国語のクラスでは、そればっかり使っていた。関西と東京の先生の共著は異色だな、と思いながら。本文も例文も適量で、教師が使いやすい、説明のしやすいものでした。

――先生が考えられる「教師が使いやすい教科書」というのはどういったものでしょうか。

輿水　やっぱりそれはね、例文の出し方や、文法の説明なんかが教えやすいもの。日本語で説明なんかしてなくても、その例文を見れば何を教えたいのかって、一目瞭然わかるもの。説明を掲げるなら簡潔にしないと、編著者の文法に引きずられて、ちょっと私の考えとは違うな、と話に矛盾が生じることがある。あれこれ説明の無い方が扱いやすい。私自身の作ったテキストでは、『初級コース中国語』(白水社、一九九五年)が一つの見本です。いろいろ説明があった方がいいという人もいるけど、私なら、教室で自分の考えで説明したいんです。さっきの四人の先生共著のテキストは、そういう作りだった。変なことを言うようだけど、中国語は、教える人間一人ひとり、それぞれの文法が異なることもあるから。

社会の変化と呼称、敬称

——先生が執筆されて、大修館書店から出版の『LL中国語』は旧版と新版がありますね。

輿水 ええ、『LL中国語』は入門、初級、中級、上級のセットでしたが、一九八八年に初級は基礎Ⅰ、中級は基礎Ⅱとして改訂版を出しました。

——この教科書は私が高校生の時に初めて中国語を学んだ時に使った教科書で、とても思い入れがあります。

輿水 上級の改訂は手間取って、結局、出せなかったんです。七十年代に出た中国語の学習書は、中国社会の変貌で、八十年代、さらに九十年代と、語彙や表現の見直しが必要になったんです。

私がテレビ講座に出講していたのが、ちょうどその辺りで、七十年代には、中国語は再放送を妨げる要素、たとえば、制度や名称が改まると、内容にも修正が必要となるので、使用語彙に気をつけていました。ふつうは、再放送を予定するなら、収録時に季節や気候の話題を避ける程度ですが、社会の変動は予測が困難です。ある時期には、中国語講座の録画は再利用しない、いわば使い捨て、ということもありました。会話が主になるテレビ講座ですから、言葉の変化で最も頭を痛めたのは、敬称や、呼びかけ表現です。その象徴的な例が〝同志〟です。名前に添えて敬称にも、単独で呼びかけにも使えて、対象が子どもを除き、老若男女問わず万能でした。その〝同志〟が、文革後みごとに使われなくなりました。『LL中国語』基礎Iでは、あえて〝同志〟を残してあります。〝同志〟をいまでも、オフィシャルな場面では使っています。共産党の内部は当然のこと、官公庁とか、正式文書とか。つい先日ですが、病院で看護師に呼びかける〝护士同志〟hùshi tóngzhì という用例を小説で見つけました。日本語なら「看護師さん！」です。かつては、こんな日本語の「～さん」のように使えて便利でしたね。もっとも、近年は〝同志〟を同性愛者の意味にも使うそうですね。

ところで、われわれ外国人には、よく〝你好〟と声をかけて来るけど、店員や係員を呼ぶ時に〝你好〟と叫んでいるネイティブもいます。ウェイトレスやボーイを呼ぶには〝服务员〟

fúwùyuán と言いますが、〃你好〃でもいいね。場面によっては〃服务员同志〃もあり得ます。

——呼び方では、女性の呼び方がすごく困ります。話者の年齢にもよりますが、二十代の女性とか、三十代の女性に対しては、〃~小姐〃xiǎojiě と呼びかけることもできますが、三十代から四十代の女性に対してはどんな敬称を選んでつければいいか、とても悩みます。男性は〃先生〃xiānsheng だけでいけますよね。

輿水　〃小姐〃は水商売の女性という意味に使われだしたから、台湾ではともかく、大陸では使わないほうがいい、特に呼びかけは。〃女士〃nǚshì は話し言葉とも言えないし、既婚なら〃夫人〃fūrén が使える場合があるけど。近ごろは〃美女〃měinǚ という呼びかけ方もあるんですよ。近年は、ある程度の学識やら資格のある人なら、女性でも〃先生〃でいいとか、特に学校の先生の場合はいいということも聞きますが。学校の先生に対しては、老若男女みな、〃老师〃lǎoshī ですね。学校では教員だけでなく、職員も〃老师〃です。学校の教職員に限らず、学識経験者や、業務上の専門知識のある人にも広く使うんです。テレビ中国語講座の、ネイティブの若いゲストたちは、北京から派遣されて来た女性アナウンサーを〃老师〃と呼んでいました。

日本語から考えれば「先生」と言えますね。男性一般には〝先生〟が使いやすいけど、労働者には〝师傅〟shifu が似合うし、〝先生〟では場面がマッチしないこともありますね。中国の、経験の浅い日本語通訳には、相手かまわず「先生」と呼びかける人がいますが、たとえば、日本の若いスポーツ選手などに対して「先生」と呼びかけている。中国人としては、相手に対する敬意をこめたつもりでしょうが、日本語としてはおかしいですね。

呼称や敬称は、変な言い方だけど、大きく間違うのは失礼ですが、適切でなければ相手が言い直して、こういう風に呼んでください、と言われることもあります。ほら、親が子どもに他人への「こんにちは」っていう挨拶を教える場合、相手の前で子どもに、親族呼称の、何々とて呼びなさいと言うのが中国式ですね。親が子に〝叫叔叔〟jiào shūshu と言えば「おじさんって呼びなさい」の意味よりも、「おじさんに、こんにちはって挨拶しなさい」という意味ですから、子どもに相手の男性に対する世代の関係を教えているんですね。もし、〝叫伯伯〟jiào bóbo と言えば、〝叫叔叔〟とは同じ「おじさん、こんにちは」でも、お互いの関係が少し違います。親族呼称は、中国語の場合、世代の差異によって上下関係をあらわす役割があります。若い女性はよその子どもにお姉さんと呼ばれるより、おばさんと呼ばれたいし、お前は私の孫だと言えば相手を馬鹿にした表現ですから。

以前、岩波講座の日本語4『敬語』（一九七七年）にも書いたことですが、文革中に読まれた浩然の『艶陽天』という小説が、映画にもなって、その中の例です。農村で、奥さんが死んで幼児と暮らす三十代の男性が人民公社の党書記で、その男を慕っている若い女性がいるんですが、女性の家では娘がその男と一緒になると困ると思って、警戒してるんです、親がね。それで娘に、その男性を「おじさん」と呼ぶように言いつける。〝叫叔叔〟と教えるんです。娘は親に、いまは世代なんかこだわらない、と反発するんだけど。「おじさん」と呼べ、というのは、あの人とは結婚は出来ませんよ、という意味です。〝哥哥〟gēge（お兄さん）と呼んだら結婚できる、同じ世代だから。だから男が相手を〝妹妹〟mèimei なんて呼んだら一層そういうこと。〝哥哥〟、〝妹妹〟は恋人同士です。とにかく親は一生懸命、娘に〝叫叔叔、叫叔叔〟って教えるんです。日本人はそこまで読み取れずに、見ているかも。実は、この若い女性は、その男性の子どもに「お姉さん」と呼ばれて、「おばさん」と呼ぶように改めさせる。これは、世代の差を教えるだけでなく、先行き、男性と一緒になる日の伏線です。これらの呼称の意味するところは、中国人ならすぐわかる。

――世代が違うんだよってことですよね。

輿水　そうなんです。そういう呼び方っていうのは、とても大事で。

――この感覚は日本人にはないですね。近頃ではネットなんかで中国のテレビドラマを多く見られますが、農村と都市のいろいろな問題、戸籍問題なども深刻に描かれたりしています。そんなドラマは三十回、四十回連続ですが、呼称については、子どもに親族の呼び方を教える場面がよく出てきます。

輿水　確かに中国語では、人の呼び方というのは困りますね。手紙を書く時とかも、呼び方で、その色合いがついてしまうから、どの程度に呼ぶのか困ることがある。外語大に来ていた中国人留学生が帰国後、手紙をくれたんです。その学生に返事を出すとすると、宛名をどう書いていいのか。日本語の「様」に当たる言葉です。中国人に尋ねたら何もいらない、××さんなら、〝××启〟とか、〝××收〟と書けばいい、と言うんです。〝启〟では「開く」、〝收〟では「受け取る」の意味で、「様」にはならないから、呼び捨てになる。敬語なんか無くていいんだと言う。なんとなく日本語の「様」に当たる言葉がほしいんだけど。男性の敬称として〝先生〟と書いたら、あちらがちょっと困るらしい。その留学生に対して、先生である私が〝先生〟と呼ぶのは困るようなので、私は〝××君〟と書くことにしました。実は、どうも呼び捨てでいらしい。宛名は集配のために記されているんで、〝××収〟と書けばいい、敬語はいらない、と言う人もいました。そう言えば、中国人から来る封書で、時に差出人の住所氏名が書いてなかったり、〝内详〟（自分の住所氏名は中に書きます）とだけ記したりするのは、宛名の表示は配達のため、だからなのかしら。それから、学生や後輩からの手紙、あるいは教えを乞うような手紙だと、自分の名前に〝学生××〟って書いて来ますね。自分の、相手に対する位置が、「学生」なんですね。世代の差異を明確にするのに似て、距離感をあらわすっていうか、敬語表現の一つですね。中国語の教室でそういうことが習えるかどうか。

——なかなか教わる機会はありませんね。ドラマを見ていても、名前を先に呼んでから喋り出すっていうシーンがすごく多いと思うのですが。

輿水　そうですね。日本語では、たとえば、食べ物を勧める場面で、「食え」「食べなさい」「召し上がれ」みたいに、動詞で距離感というか、話し手の気持ちをあらわせますけど。中国語では、そういう使い分けは出来ないから、表現に色合いをつける意味でも、呼びかけは必要ですね。

――まず誰に話をしているのかを明確にしますね。注意を向けると言うか、これも日本人にはない感覚ですね。

輿水　相手との距離をね、示すんですよ。中国人の、未熟な日本語通訳が、相手にしきりに「先生、先生」と呼びかけたり、「先生は…」と主語を必要以上に添えたりするのは、あなたとはこういう距離で話してるっていう表示でもありますね。通訳の「先生」は、中国語の習慣の引き写しだけど。中国語には日本語のような敬語表現はないわけですから、相手との距離が呼称や敬称に込められて、語られる言葉全体を色づけできるんです。親族呼称を使う場合は、世代が明示されるから、特にその機能が顕著ですね。

――なるほど、そういう発想なんですね。長時間にわたり多くの貴重なお話をお聞かせいただきありがとうございました。

あとがき

「日本の中国語教育の歴史や教材についてを調べています」と言うと、よく「え?」という顔をされる。そういう時はたいてい話相手の顔には「あなたコンピューターの人でしょ?」という疑念が浮んでいる。なぜ古い中国語の教材を調査しているのかを説明するために次のように言うことにしている。「今から百年ぐらい前に、はじめてレコードが添付された中国語教材が発売されたり、ラジオを使った中国語講座が始まった。それまで文字しかなかった教材に音声が付き、近くに中国人がいない環境でもラジオと新聞（当初のラジオ講座のテキストは新聞に掲載されているものもあった）があればどこでも中国語の授業を受けられるようになった。当時の学習者の衝撃は、今でいえば、スマホやインターネットを使って誰でも中国語の教材や授業の配信ができるようになった二〇〇〇年代初頭に我々が感じた衝撃と同じか、あるいはそれ以上かもしれない。こういった当時としては新しいメディアを使った、また現在にはない自由な発想で作られた教材を見ることは、今の時代において新しい教材や教授法を考えていく上でも必ず参考になる」と。

ただし教材の調査では全てが明らかになるというわけではない。当時の実際の学習環境であったり、学習者の声は教材からは知ることができない。当時の学習者がどういった動機付けで中国語を学び、どういった教材を使い、学んだのか。また教材の執筆者がどういった意図で中国語の教材を作成しているのか、そういったものを拾い上げたいと考え、本シリーズ中国語『「知」のアーカイヴズ』を企画した。本書はその三冊目となる。これまでの二冊では相原茂先生、内田慶市先生、佐藤晴彦先生、日下恒夫先生にお話を伺い、今回、輿水優先生にお話をお聞きすることができた。

実は、いずれの先生の教科書も使ったことがある。はじめて中国語に触れた高校時代の教科書が輿水先生の『LL中国語』であることは本編で述べたとおりである。大学では、内田先生の『漢語指南』と日下先生の『ことばの旅』で初級から中級を学び、福井の足羽高等学校で教育実習をさせていただいた際には、相原先生の『語学三十六景 中国語入門』が教科書として使われていた。実際に中国語を教えるようになってからは佐藤先生の『好好学習』も使わせていただいたことがある。いずれの教科書にもそれぞれの先生のこだわりや思いが詰まっている。輿水先生の『LL中国語』は簡潔な文法の説明に加え、豊富なイラストが使われていたのが印象に残っている。また他の教科書と異なり、薄いが丈夫なビニールカバーで包まれていたのも印象的だった。

今回、特に輿水先生にお話をお伺いしたかったのは、私自身が中国語の世界に足を踏み入れた際に初めて触れた教科書の著者であったことも大きいが、何より、五十年にわたり中国語の教科書を出し続けておられる輿水先生が、どういった考えや経験を以って教科書を執筆されているのかを知りたかったことがきっかけである。結果として、教科書のことだけではなく、本書を通じて戦後の中国語教育の歴史そのものを作ってこられた輿水先生ならではのお話を伺うことができ、当時のことを知らない我々の世代にとっても、中国語教育の歴史の流れを再確認することができた。

私自身は、大阪の出身で、高校、大学、大学院といずれも大阪の学校に通った。そのため東京外国語大学とは直接的な関係は一切ない…と思っていた。しかし長谷川寛先生の授業の話を伺っているうちに、大学一年生（一九九八年）の時に受けた授業の一つが、暗唱重視で、とにかく授業では暗唱させられた記憶しかないことに思い至った。その授業を担当されたのは、関西大学で中国近世白話文学の研究をされていた井上泰山先生だが、ご出身を確認すると東京外国語大学中国語学科であった。なんと東京外国語大学で形作られた授業の伝統が遠く大阪の地にも引き継がれていたことには驚いた。その私自身も二〇一七年に依藤醇先生と小林二男先生の後任として目白大学に着任した後は、やはり暗唱を重視している。

最後に、本書の企画にあたっては、二〇一六年に一回目のインタビューをさせていただいたものの、出版に至るまで非常に長い時間がかかってしまい、途中何度も輿水先生には不義理をしてしまった。それにもかかわらず、貴重なお話や資料を惜しげもなく公開いただき、最後まで温かい目でお待ちいただいた先生に感謝したい。

氷野善寛

二〇二〇年十月二十日

中国語「知」のアーカイヴズ③

中国語と私　学び、教え、究める、中国語に生きる

発行日　2021年1月3日　初版発行

著者　輿水優

編者　氷野善寛　紅粉芳惠

発行者　尾方敏裕

発行所　株式会社　好文出版

〒162-0041 東京都新宿区早稲田鶴巻町540 林ビル3F
Tel.03-5273-2739　Fax.03-5273-2740
http://www.kohbun.co.jp/

ISBN978-4-87220-226-7